suhrkamp ta

Der erfolgreiche Dramatiker Georg Dreyman und seine Freundin Christa-Maria Sieland, eine gefeierte Schauspielerin, sind das Vorzeigepaar der ostdeutschen Kulturszene Mitte der achtziger Jahre. Doch dann bricht die Staatsmacht in ihren Alltag ein: Minister Hempf verliebt sich in die Schauspielerin und setzt die Stasi auf Dreyman an, um ihn aus dem Weg zu räumen. Den Auftrag zur Überwachung erhält der linientreue Stasi-Offizier und unerbittliche Verhörspezialist Gerd Wiesler, der sich auf dem Dachboden über Dreymans Wohnung eine Abhörzentrale einrichtet. Als ständiger unsichtbarer Zuhörer nimmt er nun am Leben der beiden teil, und obwohl er sich heftig dagegen wehrt, wird er mehr und mehr in ihren Bann gezogen.

»Das Leben der anderen« wurde 2006 mit zahlreichen Preisen, darunter sieben Deutschen Filmpreisen und drei Europäischen Filmpreisen, ausgezeichnet und sowohl für den Golden Globe als auch den Oscar 2007 in der Kategorie Bester nicht-englischsprachiger Film nominiert. Das Buch zum Film enthält neben dem Originaldrehbuch Hintergrundberichte und ein Interview mit Ulrich Mühe.

Florian Henckel von Donnersmarck, 1973 in Köln geboren, studierte Regie an der Hochschule für Fernsehen und Film in München. Im Jahr 2000 wurde sein Kurzfilm »Dobermann« u. a. mit dem Max-Ophüls-Preis und dem Shocking Shorts Award der Universal Studios ausgezeichnet. 2002 erhielten er und sein Bruder Sebastian bei den Internationalen Hofer Filmtagen den Eastman-Förderpreis für den Kurzfilm »Der Templer«.

Florian Henckel von Donnersmarck

Das Leben der anderen

Filmbuch

Mit Beiträgen von
Sebastian Koch, Ulrich Mühe
und Manfred Wilke

Suhrkamp

Der vorliegende Band erschien erstmals 2006
als suhrkamp taschenbuch 3786.

Umschlagfoto:
2006 © Buena Vista Home Entertainment, Inc.

suhrkamp taschenbuch 3908
Erste Auflage 2007
© Suhrkamp Verlag Frankfurt am Main 2006
Suhrkamp Taschenbuch Verlag
Alle Rechte vorbehalten, insbesondere das
der Übersetzung, des öffentlichen Vortrags sowie der Übertragung
durch Rundfunk und Fernsehen, auch einzelner Teile.
Kein Teil des Werkes darf in irgendeiner Form
(durch Fotografie, Mikrofilm oder andere Verfahren)
ohne schriftliche Genehmigung des Verlages reproduziert
oder unter Verwendung elektronischer Systeme
verarbeitet, vervielfältigt oder verbreitet werden.
Druck: Nomos Verlagsgesellschaft, Baden-Baden
Printed in Germany
Umschlag: Göllner, Michels, Zegarzewski
ISBN 3-518-45908-9

1 2 3 4 5 6 – 12 11 10 09 08 07

Inhalt

Das vorliegende Drehbuch ist das Originaldrehbuch meines Films »Das Leben der anderen«, d. h. das Dokument, mit dem wir am 26. Oktober 2004 in den Dreh gegangen sind. Es ist nicht, wie so oft bei Filmbüchern, ein *nach* der Fertigstellung des Films entstandenes Protokoll der Szenen und Dialoge, die am Ende tatsächlich in den Film aufgenommen wurden. Wer dieses Drehbuch liest und mit dem fertigen Film vergleicht, wird einiges vom Prozeß des Filmemachens erahnen können: von der Fähigkeit großer Schauspieler, auch noch kurz vor dem Drehen durch kleine Veränderungen ganz andere Nuancen in einen Satz zu bringen; von aufgezwungenen Sparmaßnahmen (welche die Szenen manchmal aber tatsächlich besser machen) und von der furchtbaren, wunderbaren Radikalität, die man im Schneideraum an den Tag legen muß, um ihn am Ende glücklich verlassen zu können (der Film war in seiner ersten Schnittfassung drei Stunden lang, und man wird genau erkennen können, was wir geschnitten haben – gedreht wurde nämlich alles).

Ergänzt wird das Buch durch einen Aufsatz unseres historischen Beraters Manfred Wilke, des Leiters der Abteilung Lankwitz des Forschungsverbundes SED-Staat an der Freien Universität Berlin, zum historischen Hintergrund des Filmstoffs und durch die Beiträge von zweien der Hauptdarsteller: ein ausführliches Interview mit Ulrich Mühe, in dem er sich sehr direkten Fragen zur Arbeit an »Das Leben der anderen« und zur DDR stellt, und einen Auszug aus Sebastian Kochs Drehtagebuch.

Es ist ja immer die Hoffnung eines Filmemachers, daß sich der Zuschauer länger als einen Abend mit dem Film beschäftigen möchte. Sollte sich diese Hoffnung bei unserem Film erfüllen, wäre der vorliegende Band eine gute Möglichkeit, um einiges tiefer in »Das Leben der anderen« einzutauchen.

Für Christiane, die,
während ich *ein* Drehbuch schrieb
und *einen* Film machte,
ihre Firma in 27 Ländern aufbaute,
unsere zwei Kinder zur Welt brachte
und mich trotzdem in meiner Arbeit stärker unterstützte,
als ich es ihr je danken könnte.

Das Leben der anderen

Dramatis Personae

 GEORG DREYMAN gefeierter Dramatiker der DDR, Nationalpreisträger

 CHRISTA-MARIA SIELAND seine Freundin, Schauspielerin im Ensemble der Gerhart-Hauptmann-Bühne

 PAUL HAUSER sein engster Vertrauter, Journalist

 KARL WALLNER ebenfalls enger Vertrauter Dreymans, Druckermeister und Schriftsteller

 MfS-HAUPTMANN GERD WIESLER Ver- und Abhörspezialist, betraut mit der Leitung des OV »Lazlo«

 MfS-OBERSTLEUTNANT GRUBITZ Wieslers Chef, Leiter der Abteilung XX/7, zuständig für die Überwachung der gesamten DDR-Kultur

 MfS-OBERFELDWEBEL UDO LEYE schiebt im OV »Lazlo« die Nachtschichten

MINISTER BRUNO HEMPF Mitglied im Zentralkomitee der SED

 NOWACK Hempfs Assistent

 ALBERT JERSKA berühmter Theaterregisseur, mit Berufsverbot belegt, seit er 1976 die Petition gegen die Biermann-Ausbürgerung unterschrieb

 GREGOR HESSENSTEIN »SPIEGEL«-Redakteur

 FRAU MEINEKE Dreymans Nachbarin, Witwe

 EGON SCHWALBER Theaterregisseur an der Gerhart-Hauptmann-Bühne; bei der Stasi als IM »Max Reinhardt« geführt

 MfS-UNTERLEUTNANT AXEL STIGLER erzählt in der Kantine gern politische Witze

 DR. GORAN ZIMNY Zahnarzt, der sich durch halblegalen Medikamentenverkauf ein Zubrot sichert

Stasi-Untersuchungsgefängnis Hohenschönhausen, Morgen

Ein Gefangener in Zivil wird von einem uniformierten Wächter durch einen endlos scheinenden Gang mit Linoleumboden geführt, an Dutzenden von Zellen vorbei.

Titeleinblendung auf Bild: »November 1984, Berlin-Hohenschönhausen, Untersuchungsgefängnis des Ministeriums für Staatssicherheit«

Plötzlich leuchten im ganzen Gang rote Warnlampen auf.
WÄCHTER Stehenbleiben. Blick nach unten.
 Am Ende des Ganges wird in einem quer verlaufenden Korridor ein anderer Gefangener in Häftlingskleidung vorbeigeführt. Als er nicht mehr zu sehen ist, geht das rote Licht wieder aus.
WÄCHTER Weitergehen.
 Der Wächter führt den ersten Gefangenen weiter durch die Gänge, bis sie an der Tür zu einem der vielen Verhörzimmer stehenbleiben.
WÄCHTER Anrede: Herr Hauptmann.
 Er klopft an.

Hohenschönhausen, Verhörraum, zur gleichen Zeit

Die Verhörzelle ist weiß tapeziert, mit grauweißen Gardi-
nen vor den Fenstern, durch die ein trübes Tageslicht
kommt. Die Möbel – Regale und ein Schreibtisch – sind
aus hellem Preßholz. Auf dem Fensterbrett steht eine
kränkliche Pflanze ohne Blüte. An den Wänden hängen ein
Porträt des Generalsekretärs Honecker und ein verbliche-
nes Landschaftsfoto, das einen herbstlichen Waldweg
zeigt. Gerd Wiesler, ein hagerer Mittvierziger in schlichter
Uniform, steht am Fenster, hört das Klopfen und ruft zur
Tür.

WIESLER Einen Moment.

Er geht zu einem der Regale und öffnet ein Fach, in dem
ein Aufnahmegerät steht. Er stellt es an, schließt das
Fach, setzt sich. Seine Bewegungen sind kontrolliert und
minimal.

WIESLER Herein.

Der Gefangene, ein zart gebauter Mann von etwa 30
Jahren, wird von dem Wächter hereingeführt. Er steht
etwas unbeholfen im Raum. Wiesler schaut nicht zu ihm
auf. Er studiert die Akte des Gefangenen, die auf dem
Tisch liegt.

WIESLER Setzen Sie sich.

Der Gefangene leistet Folge. Vorsichtig setzt er sich auf
einen Hocker, der mit orangefarbenem Stoff bezogen ist.

WIESLER (*ohne aufzuschauen*) Hände unter Ihre Schenkel,
Flächen nach unten.

Verwirrt folgt der Gefangene der Anweisung. Endlich
blickt Wiesler auf.

WIESLER Was haben Sie uns zu erzählen?

GEFANGENER Ich habe nichts getan. Ich weiß nichts. Ich
habe nichts getan. Es muß ein Irrtum vorliegen.

WIESLER Sie haben nichts getan, wissen nichts. Sie glauben
also, daß wir unbescholtene Bürger einfach so einsperren, aus einer Laune heraus?

GEFANGENER Nein, ich …

WIESLER Wenn Sie unserem humanistischen Staat so etwas zutrauen, dann hätten wir ja schon recht, Sie zu verhaften, auch wenn sonst gar nichts wäre.

Der Gefangene ist sprachlos angesichts dieser Dialektik.

WIESLER Wir wollen Ihrem Gedächtnis ein wenig nachhelfen, Nr. 227 … Ihr Freund und Nachbar, ein gewisser Pirmasens, Dieter, hat am 28. September Republikflucht begangen. Wir haben Grund zu der Annahme, daß ihm bei seiner Flucht geholfen wurde.

GEFANGENER Ich weiß darüber gar nichts. Er hat mir nicht einmal erzählt, daß er rüber wollte. Das habe ich erst im Betrieb erfahren.

WIESLER Beschreiben Sie mir doch einmal, was Sie an diesem 28. September gemacht haben.

GEFANGENER Das habe ich doch schon zu Protokoll gegeben.

WIESLER (*kalt*) Bitte noch einmal.

GEFANGENER (*als würde er etwas auswendig Gelerntes aufsagen*) Ich war mit meinen Kindern im Treptower Park spazieren, am Ehrenmal. Dort traf ich meinen alten Schulfreund Max Kirchner. Wir gingen zusammen zu ihm nach Hause und hörten dort Musik bis in die späten Abendstunden. Er hat ein Telefon. Sie können ihn anrufen. Er wird Ihnen das alles bestätigen.

Wiesler schreibt genau mit.

GEFANGENER (*aufmüpfig*) Wollen Sie ihn anrufen? Ich gebe Ihnen die Nummer.

Stasi-Hochschule Potsdam-Eiche, Vorlesungsraum, Mittag

GEFANGENER (*die Stimme kommt vom Tonband*) … ihn anrufen? Ich gebe Ihnen die Nummer.

Ein Finger drückt auf die »Pause«-Taste eines großen Spulentonbandgeräts, das an der Wand angebracht ist – Wieslers Finger. Er steht vor der Tafel in dem kleinen Seminarraum. Seine Schüler, 15 junge Männer und Frauen, hören ihm zu. Auf der Tafel sind verschiedene MfS-Fachbegriffe zu lesen: »Ausleuchten«, »Aufklären«, »Konspiration«, »OPK – Operative Personenkontrolle« und »OV – Operativer Vorgang«.

Titeleinblendung: »Stasi-Hochschule Potsdam-Eiche«

WIESLER Die Gegner unseres Staates sind arrogant. Merken Sie sich das. Wir müssen Geduld haben mit ihnen. So etwa 40 Stunden Geduld. Spulen wir ein bißchen vor. *Er drückt auf die Vorspultaste. Man kann nur ahnen, welches Leid auf dem schnell laufenden Band unhörbar transportiert wird. Während des unheimlich surrenden Geräuschs »cut to«:*

Hohenschönhausen, Ruheraum, Morgendämmerung

Wiesler liegt schlafend auf einer Pritsche in einem Raum, der nicht sehr viel luxuriöser als eine Gefängniszelle ist,

aber doch pro forma zum Beispiel einen Vorhang hat.
Wieslers Uniformjacke hängt über einem Stuhl. Er schlägt
die Augen auf, erhebt sich, zieht die Jacke an, verläßt den
Raum, schließt ihn ab und geht über den Gang in den Ver-
hörraum zurück.

Hohenschönhausen, Verhörraum

Häftling 227 sieht schon ganz anders aus als zu Beginn des
Verhörs. Er ist bleich und hat trockene Lippen. Er kann
sich kaum noch auf seinem Hocker halten, so daß ihn der
Wächter an den Schultern stützen muß. Hinter dem Tisch
sitzt ein Vernehmungsoffizier. Als Wiesler hereinkommt,
erhebt er sich und geht hinaus, an Wiesler vorbei, der ihm
den Schlüssel zum Ruheraum übergibt. (Das Surren des
Vorspulens hört auf. Man hört das Klicken einer Wieder-
gabe-Taste).

GEFANGENER Bitte … ich kann nicht mehr … ich weiß
nicht mehr … bitte nur ein bißchen schlafen …
Wiesler nimmt seinen Platz hinter dem Tisch wieder ein.
Er wirft einen Blick in die Protokolle, die sein Stellver-
treter geschrieben hat.

GEFANGENER *(hebt flehend die Hände, mit letzter Kraft)*
Bitte … lassen Sie mich schlafen.
Wiesler sieht mit unbewegter Miene auf, hebt die
Brauen.

WIESLER Die Hände unter die Schenkel.
Der Gefangene gehorcht. Es fällt ihm sehr schwer.

WIESLER Schildern Sie mir noch einmal, wie Sie den 28.
September verbracht haben.
Der Gefangene wird vom Schlaf übermannt. Wiesler
macht dem Wächter ein Zeichen, ihn zu wecken. Der
rüttelt ihn.

GEFANGENER *(aufschreckend)* Bitte, bitte … nur eine
Stunde schlafen, nur einen Moment … schlafen.

WIESLER Sagen Sie mir noch einmal, was Sie an dem Tag
gemacht haben.
GEFANGENER Ich habe nichts getan … nichts.
WIESLER Wie haben Sie den Tag verbracht?
Der Gefangene beginnt leise zu weinen. Wiesler bleibt
ungerührt.

Stasi-Hochschule Potsdam-Eiche,
Vorlesungsraum, Mittag

Ein junger Student, Benedikt Lehmann, ist sehr unruhig
geworden. Jetzt kann er nicht mehr an sich halten.
LEHMANN Warum müssen Sie ihn so lange wachhalten?
Das ist doch unmenschlich!
Im gleichen Moment erschrickt er über seine Kühnheit.
Wiesler läßt sich nichts anmerken, macht nur mit sei-
nem Stift auf einem Sitzplan ein Kreuzchen neben dem
Namen des Studenten. Das erschöpfte Weinen des Ge-
fangenen 227 tönt weiter durch den Raum.
WIESLER Ein unschuldiger Häftling wird mit jeder Stunde,
die man ihn länger dabehält, zorniger, wegen der Ungerechtigkeit, die ihm widerfährt. Er schreit. Er tobt. Ein
Schuldiger wird mit den Stunden immer ruhiger und
schweigt oder weint – er weiß, daß er zu Recht dort
sitzt. Wenn Sie wissen wollen, ob jemand schuldig ist
oder unschuldig, gibt es kein besseres Mittel, als ihn zu
befragen, bis er nicht mehr kann.

Hohenschönhausen, Verhörraum, Nacht

WIESLER (*ungerührt*) Was haben Sie an dem Tag gemacht?
GEFANGENER (*mit allerletzter Kraft*) Ich war mit … mit

meinen Kindern im Treptower Park spazieren ... am Ehrenmal. Dort traf ich meinen alten Schulfreund Max
Kirchner. Wir gingen zusammen zu ihm nach Hause
und hörten ... dort Musik bis in die späten ... Abendstunden ... Er hat ein Telefon. Sie können ihn anrufen.
Er wird das alles bestätigen.

Stasi-Hochschule Potsdam-Eiche, Vorlesungsraum, Mittag

WIESLER Fällt Ihnen etwas auf an seiner Aussage?
LEHMANN (*trotzig*) Er sagt das gleiche wie am Anfang.
WIESLER Er sagt dasselbe wie am Anfang, Wort für Wort.
Führen Sie immer ein wortgenaues Protokoll. Wer die
Wahrheit sagt, kann beliebig umformulieren und tut es;
ein Lügner hat sich genaue Sätze zurechtgelegt, auf die
er bei großer Anspannung zurückfällt. 227 lügt. Wir haben zwei wichtige Indizien. Jetzt können wir die Intensität erhöhen.

Hohenschönhausen, Verhörraum, Nacht

WIESLER Wenn Sie uns den Namen des Fluchthelfers nicht
nennen, muß ich noch heute nacht Ihre Frau verhaften
lassen.
Der Gefangene bebt vor Weinen.
WIESLER Jan und Nadja kommen in eine staatliche Erzie-
hungsanstalt. Wollen Sie das?
Der Gefangene weint weiter.
WIESLER Wie heißt der Fluchthelfer? Wer war es?
GEFANGENER (*kaum hörbar*) Gläske ...
WIESLER (*schnell*) Noch mal! Deutlicher!
GEFANGENER Gläske, Werner Gläske.

WIESLER Werner Gläske – wo arbeitet er?
GEFANGENER Bei der Volkspolizei ... in Köpenick.
   Nr. 227 beginnt zu zittern. Wiesler blickt ihn interessiert
   an, wie ein Biologe ein Versuchstier betrachtet. Er macht
   dem Wächter ein Zeichen, ihn abzuführen. Es ist fast
   mehr ein Tragen als ein Abführen.
WIESLER (*zu dem Gefangenen*) Jetzt können Sie schlafen.
   Der Gefangene blickt Wiesler mit einem erschreckenden
   Blick an, der besagt: »*Wirklich?*« *Einen Moment lang*
   scheint es fast, als würde Wiesler auf den Blick reagie-
   ren. Die Tür fällt ins Schloß.

Stasi-Hochschule Potsdam-Eiche, Vorlesungsraum, Mittag

Die Studenten beginnen zu rumoren und den Fall mitein-
ander zu besprechen. Das Tonband läuft weiter.
WIESLER Ruhe! *Ruhe*!! Hören Sie ...
   Man hört auf dem Tonband Schraubgeräusche, die
   schwer einzuordnen sind.
WIESLER Kann mir jemand sagen, was das ist?
   Keiner scheint es zu wissen.

Hohenschönhausen, Verhörraum, Nacht

Man sieht Wiesler, der mit weißen Cutter-Handschuhen
auf dem Boden sitzt und den orangefarbenen Stoff abmon-
tiert, der als Bezug über den Hocker gespannt war. Mit ei-
ner sterilen Spezialzange faßt er ihn und verschließt ihn
sorgfältig in einem bereits beschrifteten Einmachglas.
WIESLER (*voice-over*) Die Geruchskonserve für die Hun-
   de. Sie ist bei jedem Gespräch mit Untersuchungshäft-
   lingen abzunehmen und nie zu vergessen.

Stasi-Hochschule Potsdam-Eiche, Vorlesungsraum, Mittag

Jetzt schaltet Wiesler das Tonband endgültig aus und blickt die Studenten an.

WIESLER Bei Verhören arbeiten Sie mit Feinden des Sozialismus. Vergessen Sie nie, sie zu hassen.

Wiesler blickt auf seine Uhr. Der Sekundenzeiger erreicht die Zwölf; es ist 17:30, die Schulglocke klingelt.

WIESLER Guten Tag.

Die Studenten beginnen ihre Sachen zusammenzupakken. Da hört man jemanden Beifall klatschen. Es ist Oberstleutnant Grubitz, Leiter der Abteilung XX/7, zuständig für die Überwachung der Kultur. Er steht in der Tür zum Vorlesungsraum. Die Studenten machen bei seinem Applaus höflich mit. Beim Hinausgehen grüßen sie ihn ehrfurchtsvoll. Sein Blick bleibt an einer hübschen Kubanerin mit olivfarbener Haut hängen, während er auf Wiesler zugeht und ihm die Hand schüttelt.

OBERSTLEUTNANT GRUBITZ Das war richtig gut. Richtig gut. Wer ist eigentlich diese Kubanerin? Die ist auch gut.

Da Wiesler nicht antwortet, sondern weiter mit großer Akribie seine Lehrmaterialien zusammenräumt, einpackt und die Tafel wischt, nimmt sich Grubitz selbst den Sitzplan, den Wiesler erstellt hat, und sucht nach dem Namen der Frau. Dann wendet er sich wieder an Wiesler.

OBERSTLEUTNANT GRUBITZ Sag mal, warum machst du eigentlich diesen Unterricht, wenn du gar kein Interesse an deinen Schülern hast?

Wiesler findet das nicht witzig. Grubitz blickt nostalgisch auf die Bänke.

OBERSTLEUTNANT GRUBITZ Erinnerst du dich noch, wie wir hier zusammen saßen, vor … 20 Jahren?

Wiesler sortiert weiter seine Unterlagen.

OBERSTLEUTNANT GRUBITZ Weißt du, daß sie mir eine Professur angetragen haben?

Wiesler blickt einen Moment auf. Man merkt, daß er das nicht gern hört. Grubitz entgeht der Blick nicht. Er lächelt süffisant.

OBERSTLEUTNANT GRUBITZ Du siehst, es kommt nicht auf gute Noten an im Leben. Auch wenn meine dank dir gar nicht schlecht waren, hahaha.

Wiesler findet auch das nicht witzig. Grubitz macht das nichts aus.

WIESLER Was steht an?

OBERSTLEUTNANT GRUBITZ Warum glaubst du eigentlich immer, daß ich mit einem Hintergedanken zu dir komme? Ich wollte dich nur ins Theater einladen.

WIESLER (*mißtrauisch*) Ins Theater.

OBERSTLEUTNANT GRUBITZ Ich habe gehört, daß Minister Bruno Hempf heute abend ins Theater geht. Da sollte ich als Leiter der Abteilung für Kultur Präsenz zeigen.

Grubitz holt aus seiner Uniform eine Brieftasche und nimmt zwei Eintrittskarten heraus. Eine davon reicht er Wiesler.

OBERSTLEUTNANT GRUBITZ Es beginnt um 19:00. Wir sollten gleich aufbrechen.

Gerhart-Hauptmann-Bühne, Logengang, Abend

Wiesler und Grubitz werden von einer bildhübschen jungen Billeteuse zu ihrer Loge geführt. Es ist eine kleine Loge links über der Bühne. Bevor sie hineingehen, schickt Grubitz die Billeteuse vor.

OBERSTLEUTNANT GRUBITZ Bitte drehen Sie doch die Birnen der Leuchten heraus.

Sie kommt seiner Bitte nach und wird mit einem Trink-

geld belohnt. Das Mädchen blickt dabei ängstlich auf Grubitz' Zigarette, traut sich aber nicht, etwas zu sagen. Grubitz merkt es.

OBERSTLEUTNANT GRUBITZ Keine Angst, ich weiß, daß man hier nicht rauchen darf.

Er schaut sich einen Moment lang nach einem Aschenbecher um, dann drückt er ihr die Kippe galant in die Hand.

OBERSTLEUTNANT GRUBITZ (*begütigend*) Sie machen das schon für mich.

Wiesler und Grubitz betreten die dunkle Loge, von der aus sie gut das Parkett und die anderen Seitenlogen überblicken können. Sie schauen in das sich langsam füllende Theater hinunter. Grubitz zaubert aus seiner Innentasche ein schwarzes, kleines Fernglas westlichen Fabrikats und beginnt das Publikum damit zu beobachten. Plötzlich hat er entdeckt, was er sucht. Er reicht Wiesler das Fernglas.

OBERSTLEUTNANT GRUBITZ (*zu Wiesler*) Minister Bruno Hempf, auf 4 Uhr, Parkett.

Wiesler orientiert sich: Auf privilegiertem Platz, in der fünften Reihe, sitzt ein schwerer Mann von Mitte 50. An seinem grauen Anzug, seiner selbstbewußten Ruhe und den niedrigeren Chargen, die hinter ihm sitzen, erkennt man sofort den Bonzen.

OBERSTLEUTNANT GRUBITZ Du weißt, daß er beim MfS war? Bevor sie ihn in die Kulturabteilung des ZK holten? Hat ziemlich aufgeräumt in der Theaterszene damals. Wahrscheinlich von daher noch die Liebe zur Bühne.

Wiesler betrachtet weiter das Publikum. Plötzlich fixiert er mit seinem Opernglas einen Mann in kurzer Lederjacke, der gerade durch einen Seiteneingang hereinkommt.

WIESLER Da ist ja Andi!

OBERSTLEUTNANT GRUBITZ Jaja, ein trauriges Kapitel. Der
leitet den OV gegen Paul Hauser, den Journalisten.
Bringt nicht viele Ergebnisse. Wir vermuten, daß Hauser ihn sogar kennt. Ein schlauer Geselle, dieser Hauser.
Früher hat er über Theater geschrieben, jetzt darf er nur
Landwirtschaft. Und macht uns trotzdem noch Ärger.
Wir hatten ihn sogar einmal für ein paar Tage in Hohenschönhausen, mußten ihn aber wieder freilassen.
Ein Diversant, soviel ist sicher, aber nachweisen konnten wir ihm bisher noch nichts. Das ist er übrigens, dort,
auf dem Seitenbalkon, in der Jeansjacke.

Wiesler schwenkt das Fernglas von Andi im Parterre zu
Paul Hauser, einem sportlichen, braunhaarigen Vierzi-
ger, der auf dem Seitenbalkon direkt über Andi sitzt. Ge-
rade in dem Moment sieht auch Hauser seinen Stasi-
Agenten und grüßt ihn übertrieben freundlich. Der
schaut verschämt zu Boden. Wiesler setzt das Fernglas
ab. Grubitz blickt ein bißchen ärgerlich.

OBERSTLEUTNANT GRUBITZ Ich muß diesen OV beenden.
Das hat ja überhaupt keinen Sinn.

Nach und nach haben alle Besucher ihre Plätze einge-
nommen. Da geht in der Loge rechts neben der Bühne
die Tür auf, und ein Mann kommt herein Er ist Mitte 40
und bewegt sich wie jemand, der sich wohl fühlt in sei-
ner Haut. Das Publikum beginnt zu applaudieren.

OBERSTLEUTNANT GRUBITZ (*erklärend zu Wiesler*) Georg
Dreyman, der Dichter.

Wiesler beobachtet ihn durch das Fernglas. Dreyman ist
sehr selbstsicher. Wie ein König grüßt er in das Publi-
kum hinunter. Wiesler ist nicht sehr angetan.

WIESLER Das ist genau der arrogante Typ, vor dem ich
meine Studenten warne.

OBERSTLEUTNANT GRUBITZ Arrogant, aber linientreu.
Wenn alle so wären wie der, wäre ich arbeitslos. Er ist so
ziemlich unser einziger Autor, der nichts Verdächtiges

schreibt und den man trotzdem im Westen liest. Für ihn
ist die DDR das schönste Land der Welt. Paß nur auf.

*In dem Moment hebt sich der Vorhang. Das Bühnenbild
zeigt das Innere einer Fabrikhalle, als solche erkennbar
durch Rohre, industrielle Ventilatoren und vor allem
zwei lange Fließbänder, an denen Arbeiterinnen in
grauen Kitteln stehen und immer gleiche, fast hypnotisch monotone Handbewegungen machen. Ein Hallen-
meister überwacht ihre Arbeit. Plötzlich sinkt eine von
ihnen, Marta (die Schauspielerin Christa-Maria Sieland,
eine schöne dunkelhaarige Frau von Ende 30), lautlos
zu Boden. Die anderen stürzen zu ihr hin. Die glänzenden Metallstückchen, die auf dem Band entlangtran-
sportiert werden und eigentlich von den Frauen aussor-
tiert werden sollen, kippen am Ende der beiden Bänder
hinunter und wachsen zu zwei kleinen Hügeln an.*

ELENA Liebes Kind, was hast du? Ein neues Gesicht?

ANJA Sprich, Marta! Bitte, sprich!

*Marta erwacht mit einem unheimlichen, tiefen Brustlaut
aus ihrer Ohnmacht. Sie hebt den Arm und deutet auf
Elena.*

MARTA / CHRISTA-MARIA Dein Artur ... lebt nicht mehr.

ELENA Artur!

ANJA *(flehend)* Kannst du dich dieses eine Mal nicht irren?
Ich habe ihn doch heute morgen noch gesehen. Gewiß
sitzt er auf seinem Traktor, im Sonnenschein ...

MARTA/CHRISTA-MARIA Nein, Schwester, glaube mir. Er ist
gestürzt. In seinen Tod. Das große, starke Rad hat ihn
zermahlen. Ich sehe es und würd' doch jeden Schrecken
lieber sehen ... Die treuen Männer stehen um ihn wie
ihr um mich und werfen ob der hohen Sonne nur sieben
kurze Schatten noch auf seinen edlen, toten Leib. Wer
kann uns diesen Mann ersetzen?, spricht einer. Warum
bleibt mir dies Sehen nicht erspart? Elena, geh nach
Haus und lege Trauer an. Ich werde deine Schicht zu
Ende führen.

Gerhart-Hauptmann-Bühne, Seitenloge

Wiesler verfolgt das Stück durch das Fernglas, das ihm Grubitz überlassen hat. Sein Blick scheint besonders von Christa gefesselt zu sein, die in dem stilisiert grauen Kleid der Fabrikarbeiterin elegant und edel aussieht. Von Zeit zu Zeit schwenkt er mit seinem Fernglas aber auch zurück ins Publikum: zu Hempf, der zwar in verhaltener Energie mit dem Knie wippt, aber doch von dem Stück gebannt zu sein scheint, und zu Dreyman, der die Inszenierung sehr genau verfolgt. Währenddessen raucht er ganz gelassen. Da geht die Tür zu seiner Loge auf, und Hauser kommt herein. Dreyman dreht sich um; die Schauspieler sprechen gerade einen besonders arbeiterfreundlichen Text. Hauser stellt sich übertrieben stramm auf und begrüßt Dreyman spöttisch mit dem sozialistischen Gruß. Dreyman versetzt ihm einen scherzhaften Schlag zur Antwort. Dann reichen sich die Männer herzlich die Hand zur Begrüßung. Wiesler entgeht nichts.

Der erste Akt geht zu Ende. Applaus. Ein rothaariger Mann von Anfang 40 tritt zu Dreyman in die Loge und flüstert ihm etwas ins Ohr.

OBERSTLEUTNANT GRUBITZ (*zu Wiesler*) Das ist Schwalber, der Regisseur. Wir arbeiten mit ihm. IM »Max Reinhardt«. Aber man scheint ihm zu vertrauen in der Szene.

Die Lichter gehen an. Pause.

OBERSTLEUTNANT GRUBITZ Na, wie hat's dir gefallen? Ein guter Mann, der Dreyman, was?

WIESLER Ich würde ihn überwachen lassen.

OBERSTLEUTNANT GRUBITZ Überwachen? Das Unterrichten verdirbt anscheinend den Instinkt.

WIESLER Die OPK würde ich sogar selbst übernehmen.

OBERSTLEUTNANT GRUBITZ (*leicht verärgert*) Ich sage dir doch: Der ist sauberer als sauber. Selbst Hempf kommt zu seiner Premiere. Wenn wir so einen überwachen, schneiden wir uns ins eigene Fleisch.

Wiesler ist unbeeindruckt. Grubitz schüttelt den Kopf über so viel Starrköpfigkeit. Dann sieht er, daß der Minister immer noch auf seinem Platz sitzt.

OBERSTLEUTNANT GRUBITZ Ich gehe kurz hinunter.

Wieslers Geste besagt: »Natürlich ...« Er bleibt allein zurück, greift nach dem Theaterprogramm, in dem unter anderem Fotos von Dreyman und Christa-Maria Sieland abgebildet sind, und liest mechanisch über die beiden nach, während sein Finger aktenerfahren die Seiten hinuntergleitet. Dann nimmt er das Fernglas und blickt zum Minister ins Parterre hinunter. Hempf empfängt Grubitz wie einen Lakaien. Es ist erstaunlich zu sehen, wie schnell auch ein Mann wie Grubitz seine Körpersprache auf die eines Untergebenen umstellen kann.

Als Wiesler das Opernglas senkt, sieht er mit bloßem Auge in der Loge gegenüber etwas, was es ihn sofort wieder aufnehmen läßt: Die Tür zu Dreymans Loge wird unauffällig geöffnet. Dahinter steht Christa-Maria als Marta, ihre Bühnenkleidung unter einem Straßenmantel nur halb verborgen. Sie winkt Dreyman an die Tür. Er folgt sofort, zieht sie aber herein. Sie will im hinteren Bereich der Loge bleiben. Aus dem kleinen Kampf entsteht ein leidenschaftlicher Kuß. Dann hält er sie einen Moment fest. Er betrachtet sie, ihr Kostüm, sagt et-

was zu ihr. Sie dreht sich als Antwort einmal um die ei-
gene Achse und macht einen theatralisch scherzhaften
Hofknicks. Ein Blickaustausch, der klarmacht, wie groß
bei aller Koketterie die Leidenschaft ihrer Beziehung ist.
Es folgt ein kurzer Dialog. Sie umarmen sich. Dann löst
sie sich, küßt ihn noch einmal und verschwindet durch
die Logentür.
Wiesler zeigt keinerlei Regung, hat aber alles genau ver-
folgt. Er läßt das Fernglas kurz sinken, blickt dann zu
Grubitz und dem Minister hinunter und setzt das Glas
wieder an die Augen.

Gerhart-Hauptmann-Bühne, Parkett

Grubitz sitzt immer noch beim Minister, hat aus Höflich-
keit einen Platz zwischen sich und ihm freigelassen und
balanciert auch da nur auf der Sesselkante. Im Hinter-
grund sitzt Hempfs Assistent und Fahrer, Nowack. Der Mi-
nister ist ein Mann von intensiver Körperlichkeit, von dem
man kaum sagen kann, ob er attraktiv ist oder abstoßend
(auf jeden Fall ist es aber eines von beiden und nichts da-
zwischen). Er verkörpert Macht, Energie und Selbstbe-
wußtsein.

HEMPF Ich höre viel über Ihre Arbeit. Die Kultur ist in guten Händen, sagt man. Ja, Ihr Name fällt oft bei der Partei.

Grubitz verneigt sich ein bißchen.

OBERSTLEUTNANT GRUBITZ Wir sind Schild und Schwert
der Partei, Genosse Minister. Das ist mir zu jedem Moment bewußt.

Aber Hempf nimmt die Floskeln kaum wahr. Er blickt
gar nicht zu Grubitz, sondern immer wieder hinauf zur
Dichterloge. Irgendwann ist es so offensichtlich, daß
sich auch Grubitz traut, dorthin zu sehen.

HEMPF Was halten Sie von ihm?

OBERSTLEUTNANT GRUBITZ Georg Dreyman?

Hempf antwortet nicht. Das heißt: Ja. In Grubitz toben die Gedanken.

OBERSTLEUTNANT GRUBITZ (*stockend*) Vielleicht …

Er will kein falsches Wort sagen, nicht hier, nicht zum Minister.

HEMPF Vielleicht was?

OBERSTLEUTNANT GRUBITZ Vielleicht ist er nicht ganz so sauber, wie er scheint …

Hempf blickt ihn einen Moment hart an, dann lacht er plötzlich laut auf und klopft Grubitz auf die Schulter.

HEMPF Haha! Grubitz! Deshalb sind Männer wie Sie und ich an der Spitze! Ein normaler Stasi-Trottel hätte geantwortet: Einer der besten unseres Landes, linientreu … all den Käse. Aber wir sehen mehr! Sie werden es ganz nach oben schaffen, Grubitz. Glauben Sie mir.

Er klopft ihm noch einmal auf die Schulter. Dann wird er ruhiger und blickt wieder zu Dreymans Loge.

HEMPF Ja, an dem ist was faul. Das sagt mir mein Bauch. Und der belügt mich nicht.

Er klatscht auf seinen Bauch. Grubitz' Gesicht bleibt unbewegt.

HEMPF (*blickt Grubitz plötzlich an*) Nächste Woche Don-

nerstag abend ist bei Dreyman eine Feier. Da kommen einige dubiose Leute, Hauser und solches Gesocks.
Er lehnt sich leicht zu Grubitz hinüber.

HEMPF Versuchen Sie, bis dahin etwas aufgebaut zu haben. Einen diskreten, kleinen OV, Maßnahmen A und B, nur in seinen Räumen, nichts Auffälliges. Er hat mächtige Freunde. Es darf niemand etwas von dem OV mitbekommen, bis wir etwas gefunden haben.
Er winkt Grubitz, näher zu kommen. Der leistet Folge, obwohl es ihm nicht angenehm ist, dem Minister so nahe zu sein.

HEMPF Aber wenn Sie gegen den etwas finden, dann haben Sie einen mächtigen Freund im ZK. Sie verstehen, was ich meine.
Das Gespräch ist beendet. Grubitz erhebt sich. Dabei blickt er hinüber zu der Loge, in der Wiesler sitzt.

Gerhart-Hauptmann-Bühne, Seitenloge

Wiesler senkt sein Fernglas. Auf seinen Lippen ist ein ange-deutetes Lächeln der Genugtuung. Es klingelt zum zweiten Akt.

Theaterkeller, Partyraum, Nacht

Die Premierenfeier ist in vollem Gang. Geschickt gehen Kantinenarbeiter mit Getränken und belegten Brötchen durch die Menge. Dreyman tanzt auf witzige Art mit Christa zu einem dynamischen DDR-Schlager, der von einer Live-Band gespielt wird. Minister Hempf steht in einiger Entfernung da, neben ihm sein Assistent Nowack, und be-obachtet die beiden. Diese Unbefangenheit, die Dreyman hat, kann er Christa natürlich nicht bieten. Dreyman be-merkt Hempfs Blicke.

DREYMAN (*während des Tanzens zu Christa*) Was schaut
der uns immer so an? Was macht er überhaupt hier? Ich
glaube, er hat einen Narren an dir gefressen.
*Sie tanzen weiter. Der Minister trinkt. Er hält eine der
Kantinenarbeiterinnen, die gerade auf einem Tablett
Getränke bringt, an einem Arm fest, kippt einen Wodka,
stellt das Glas ab und läßt sie erst wieder gehen, nachdem er sich das nächste genommen hat. Plötzlich geht
er, schon ein bißchen unsicher auf den Beinen, zum
Mikrophon, unterbricht die Band und Christas und
Dreymans Tanz.*
HEMPF (*ins Mikrophon*) Ich kann es mir doch nicht neh-
men lassen, heute noch auf unsere Kulturschaffenden zu
trinken. Ein großer Sozialist (ich weiß gar nicht mehr
wer) hat einmal gesagt: Der Dichter ist der Ingenieur der
Seele. Und Georg Dreyfus … Dreyman … ist einer der
bedeutendsten Ingenieure unseres Landes.
*Dreyman steht neben Christa und starrt etwas betreten
vor sich hin. Paul Hauser tritt von hinten an ihn heran
und raunzt ihm ins Ohr.*
HAUSER Entzückend, deine Bettgenossen …
DREYMAN (*verärgert*) Ach, hör doch auf!
Christa blickt etwas besorgt.
HEMPF (*redet weiter ins Mikrophon*) Und natürlich auf

Christa-Maria Sieland. Sie ist die schönste Perle der Deutschen Demokratischen Republik, und da dulde ich keinen Widerspruch, hahaha! Erheben wir alle unsere Gläser auf Christa-Maria Sieland: Sie lebe hoch! Hoch! Hoch!

Hempf hat nicht gemerkt, daß seine Hoch-Rufe unpassend sind und manche Augenbraue gehoben wird. Doch man applaudiert. Hempf reicht dem Bandleader das Mikrophon zurück.

BANDLEADER *(etwas verwirrt)* So, und jetzt noch etwas fürs Gemüt ...

Die Band beginnt wieder zu spielen, diesmal etwas ruhigeren Swing-Jazz. Dreyman hält Christa an der Hand fest. Er sieht, daß Hempf auf sie zugeht.

DREYMAN *(leise zu Christa-Maria)* Daß so jemand überhaupt das Wort an dich richten darf!

CHRISTA-MARIA *(flüsternd zu Dreyman)* Bleib bei mir!

Hempf ist an sie herangetreten. Er faßt Christa an beiden Schultern, wie ein stolzer Onkel. Dann wendet er sich an Dreyman.

HEMPF Ich darf doch?

Er küßt sie links und rechts auf die Wangen, sehr körperlich. Dreymans Ausdruck zeigt, wie sehr ihn das stört.

HEMPF *(zu Dreyman)* Na, wie hat Ihnen meine kleine Rede gefallen?

DREYMAN Vielen Dank.

HEMPF Ihr Stück hat mir auch gut gefallen.

Dreyman schweigt.

HEMPF Nein, wirklich, war gut.

Zu allem Überfluß tritt jetzt auch Hauser auf sie zu. Dreyman schwant Böses.

HAUSER »Ingenieur der Seele« ... Das war Stalin, den Sie zitiert haben.

Hempf grinst zufrieden, nimmt das Glas Champagner,

das Nowack ihm bringt, und trinkt daraus. Er hat es ge-
nau gewußt.

HEMPF Ich provoziere eben auch mal gerne, lieber Hauser.
Aber anders als Sie weiß ich immer, wie weit ich gehen
darf.

Er klopft Hauser jovial auf die Schulter.

HEMPF Da bin ich eher wie unser lieber Dreyman. Er versteht, daß die Partei zwar den Künstler braucht, der
Künstler die Partei aber noch viel mehr.

Der Minister wirft Christa einen Blick zu. Er stellt sich
sehr nah an sie heran und berührt mit der Hand unauf-
fällig ihre Hüfte. Schnell tritt sie zur Seite und sucht ei-
nen Vorwand, die Gruppe zu verlassen.

CHRISTA-MARIA Wenn ihr nur über Politik sprechen wollt,
dann muß ich mir jemand anderen zum Tanzen suchen.

HEMPF Ich wäre bereit ...

CHRISTA-MARIA (*im Weggehen, um einen scherzhaften*
Ton bemüht) Zu spät, zu spät!

Sie versucht, sich einer anderen Gruppe hinzuzugesel-
len. Dort wird sie höflich begrüßt – aber die Gruppe
bleibt geschlossen. Christa ist nicht beliebt, wie man
merkt. Sie nimmt sich ein Glas Wodka von einem Ta-
blett und trinkt es nicht weniger gekonnt als Hempf we-
nige Minuten zuvor. Hempf und Dreyman blicken ihr
nach. Sie merkt es und prostet ihnen mit dem leeren
Glas aus der Entfernung zu. Ihre Fröhlichkeit wirkt an-
gestrengt. Sie verschwindet im Gedränge. Hempf wen-
det sich Dreyman zu.

HEMPF Wissen Sie, ich verfolge die Entwicklung unseres
Theaters ja schon sehr lange.

HAUSER Früher haben Sie sie ja sogar beruflich verfolgt.

DREYMAN (*freundschaftlich mahnend*) Paul ...

HEMPF Ist schon in Ordnung, Dreyman. Herr Hauser und
ich kennen uns schon seit vielen Jahren.

Da kommt Schwalber vorbei, und Hempf zieht ihn zu
sich heran.

HEMPF Schwalber, auch Sie haben da heute abend ganze
Arbeit geleistet. Dreyman, ich bin zufrieden, daß Sie
jetzt mit solchen anständigen Regisseuren zusammenar-
beiten. Es hat ja auch andere Zeiten gegeben.
Er droht scherzhaft rügend mit dem Zeigefinger.
Schwalber ist die Situation peinlich, und er entfernt sich
gleich wieder.

DREYMAN (*ernst*) Sie meinen Jerska. Ich bin ja der Mei-
nung, daß Sie ihn zu hart beurteilt haben. Sicherlich hat
er mit seinen Äußerungen über die Stränge geschlagen.
Aber, Genosse Hempf, versetzen Sie sich doch nur einen
Moment in seine Lage, als Ehrenmann: Er kann seine
Unterschrift von dieser Erklärung nicht zurückziehen.
Dreyman blickt ihn eindringlich an. Hempf grinst.

DREYMAN Wir müssen die Menschen doch mitnehmen,
alle. Und er glaubt fest an den Sozialismus. Er will ja
nicht weg. Im Westen könnte er an jedem Theater arbeiten. Sein Berufsverbot ist ...

HEMPF (*unterbricht ihn ärgerlich*) Aber wer redet denn
von Berufsverbot! Berufsverbot? So etwas gibt es doch
gar nicht bei uns. Sie sollten vorsichtiger sein in Ihrer
Wortwahl.
Dreyman bekommt tatsächlich einen Schreck. Aber er
will nicht aufgeben.

DREYMAN Genosse Minister, das sage ich jetzt nur Ihnen:
Noch zwei solche Inszenierungen, wie sie Schwalber
heute hingelegt hat, und kein Mensch spricht mehr von
mir. Ich brauche Jerska. Und ich glaube wirklich, daß
Sie ihn zu hart beurteilen.

HEMPF Ja, und ich glaube das nicht. Aber das lieben wir
ja auch alle an Ihren Stücken: die Liebe zum Menschen,
die guuten Menschen; den Glauben, daß man sich verändern kann. Dreyman, ganz gleich, wie oft Sie es in
Ihren Stücken schreiben, Menschen verändern sich
nicht ... Aber wie geht es ihm denn?

DREYMAN Er ist voller Hoffnung, daß sein Berufs- ... daß
er bald wieder arbeiten darf.

*Hempf schiebt sich gerade eine Boulette in den Mund
und blickt Dreyman und Hauser frech grinsend an, mit
weit offenen Augen, ohne etwas zu sagen.*

DREYMAN Darf er hoffen?

HEMPF (*schnell*) Natürlich darf er hoffen! Solange er lebt.
Und sogar noch länger! Denn die Hoffnung stirbt immer zuletzt. Hahaha!

*Nowack lacht automatisch mit. Dreyman blickt wirk-
lich betroffen, Hausers zynischer Zorn ist unverändert.*

Grubitz' Auto, Nacht

*Ein 1600er Lada fährt an Plattenbausiedlungen vorbei.
Am Steuer sitzt Grubitz, neben ihm Wiesler. Ein riesiger
Betonbau sieht aus wie der nächste.*

OBERSTLEUTNANT GRUBITZ Der OTS steht ab morgen
früh auf dein Zeichen für die Verwanzung bereit. Wichtig ist nur, daß bis Donnerstag alles steht. Ansonsten
hast du freie Hand. Kriegst du das hin?

*Auf diese Frage erwartet Grubitz keine Antwort. Wies-
ler würde auch keine geben.*

WIESLER (*plötzlich*) Hier.

*Grubitz biegt ab und fährt bei einem monströsen Plat-
tenbau vor. Er schaut Wiesler an. Ein paar Momente
lang herrscht Schweigen zwischen den Männern.*

WIESLER Sehnst du dich nicht manchmal danach, daß er
schon da wäre – der Kommunismus?

*Grubitz versteht nicht genau, was Wiesler meint. Aber
er kennt das Gegenmittel.*

OBERSTLEUTNANT GRUBITZ Du denkst zuviel nach. Bestell
dir zur Feier des Abends ein Mädchen aufs Zimmer. Die
Nummern stehen im Verzeichnis. Du weißt doch, die

sind sauber – arbeiten nur für unser Haus. Geht auf meine Rechnung ... na ja, tust du ja eh nicht.

WIESLER Gute Nacht.

Wiesler steigt aus. Der Wagen fährt weg. Wiesler geht zu seinem Eingang. Eine kleine Gruppe Jugendlicher aus der Punk-Szene sitzt vor dem Haus. »Stasi-Schwein« hört er, so leise gesagt, daß er sich auch verhört haben könnte. Ohne sich umzudrehen, hält er einen Moment inne, so daß die Gruppe vor Angst ganz still wird. Dann betritt er das Haus.

Wieslers Wohnhaus, Treppenhaus

Der große Fahrstuhl mit grünem Licht läßt Wiesler noch verlorener aussehen. Er steigt aus und geht durch den Gang zu seiner Wohnungstür. Dort sieht er es noch einmal ausgeschrieben: »Stasi-Schwein«. Er prüft die Farbe mit dem Finger. Sie ist frisch. Ohne sich weiter darum zu kümmern, betritt er die Wohnung.

Wieslers Wohnung

Wieslers Zwei-Zimmer-Wohnung ist mit den Möbeln ein-
gerichtet, die in der DDR am leichtesten zu bekommen
sind: dünne Holzmöbel mit Stahlbeinen. Nur fehlt jeglicher
Dekorationsversuch. Einziges Schmuckstück an der Wand
ist ein Kalender der Volksarmee. Wiesler geht in die Küche
und setzt Reis auf. Während der vor sich hinkocht, geht er
in sein Wohnzimmer, stellt sich ans Fenster und schaut mit
einem Feldstecher, der schon bereitliegt, in die Fenster des
gegenüberliegenden Gebäudes. In einem Zimmer spielt
eine kleine Familie ein Brettspiel, in einem anderen streitet
ein junges Paar, in einem dritten sieht eine alte Frau fern.
Und dann entdeckt Wiesler plötzlich etwas, von dem er
nicht so schnell wegschwenkt. In dem recht leeren Schlaf-
zimmer einer Wohnung findet eine Verhandlung zwischen
zwei jungen Männern statt. Eine junge Frau steht daneben.
Die Männer reden aufeinander ein. Gegenstand der Dis-
kussion scheint ein großer Koffer zu sein. Der Koffer wird
aufs Bett gelegt und geöffnet. Er ist voller Föne, 20mal das
gleiche Gerät.

WIESLER (*sich orientierend, flüsternd zu sich selbst*) 6.
Stock, 50, 51, 52, 53 …
> *Er nimmt eine Liste zur Hand, die ebenfalls auf dem*
> *Fensterbrett bereitliegt. Sie ist auf einem Nadeldrucker*
> *ausgedruckt worden. Die Bewohner des Hauses sind*
> *hier nach Wohnungen sortiert aufgeführt. Bei Wohnung*
> *653 steht: Heiner Laun, Bürogehilfe, Centrum Waren-*
> *haus. Wiesler greift mit seiner freien Hand zum Telefon*
> *und wählt die Informationsannahmestelle der Volkspo-*
> *lizei. Gleichzeitig hält er sich mit der anderen Hand das*
> *Glas an die Augen.*

WIESLER Hier Hauptmann Wiesler, Ausweisnummer MfS
98495-G. In der Josef-Dietzgen-Straße Nr. 139, Wohnung 653, da sollten Sie ein paar Leute vorbeischicken.
Vermutlich spekulative Warenhortung. Ich warte.

*Wiesler legt auf und sieht noch einen Moment zu, wie
die Kleingewinnler über ihre Föne diskutieren. Dann
holt er sich seinen Reis, drückt sich Tomatenmark darauf und setzt sich mit dem kümmerlichen Essen an einen Plastiktisch vor dem Sofa. Er schaltet den Fernsehapparat an, gerät an eine Sendung über die Beerdigung
von Andropow in der Sowjetunion. Kurz schaut er zu,
dann steht er wieder auf, tritt ans Fenster und nimmt erneut sein Fernglas zur Hand. Die jungen Männer trinken jetzt zusammen ein Bier; die junge Frau wäscht das
Geschirr ab. Da plötzlich schauen sie alle entsetzt zur
Tür: Es hat wohl geklopft. Sie rennen kopflos umher,
schieben den Koffer unter das Bett – worüber Wiesler
nur den Kopf schüttelt – und machen auf. Die Volkspo-
lizisten kommen herein, blicken sich um, suchen, finden
den Koffer natürlich gleich. Sie nehmen die beiden jungen Männer mit. Die junge Frau bleibt allein zurück,
läuft ratlos umher, weint. Dann blickt sie plötzlich zum
Fenster. Hat sie Wiesler gesehen? Er weicht auf jeden
Fall zurück. Sie zieht den Vorhang zu und weint dahinter wohl weiter. Drei Existenzen zerstört. Kein unge-
wöhnliches Ende eines Tages für Wiesler.*

Straße vor Dreymans Haus, Mittag

*Kindergeschrei, Gewimmel. Auf der Straße vor dem Ein-
gang eines typischen Berliner Mietshauses spielt Georg
Dreyman mit zwei elfjährigen Jungen Fußball. Er bringt
sich voll ein und spielt gar nicht schlecht.*

DREYMAN Ich ... muß ... jetzt gehen. Sonst ... bekomme
ich ... Ärger ... oben.

*Es ist aber ziemlich klar, daß er aufhören muß, weil er
einfach nicht mehr kann. Er winkt den Jungen zu,
schließt die Tür auf, nimmt die Einkaufstüte, die er am*

*Hauseingang abgestellt hat, und geht hinein. Wiesler
steht im Schatten eines Kellereingangs auf der gegenüberliegenden Straßenseite, beobachtet und notiert. – In
einem Fenster des zweiten Stocks ist Christa zu sehen.
Dreyman taucht neben ihr auf. Sie lacht und pustet ihm
kühle Luft auf seine heiße Stirn. Sie küssen sich. Wiesler
notiert.*

Straße vor Dreymans Haus, Abend

*Dreyman verläßt das Haus. Es ist kalt, aber Wiesler läßt
sich nichts anmerken. Er schaut auf die Uhr und notiert die
Zeit auf einer Skizze der Straße, neben einem Pfeil, der an-
zeigt, in welche Richtung Dreyman verschwunden ist. Kurz
darauf kommt auch Christa aus dem Haus, blickt sich nach
links und rechts um und geht dann in die andere Richtung.*

Straße vor Dreymans Haus, später Abend

*Dreyman kehrt in Begleitung eines schweren, ruhig wir-
kenden Mannes mit dunklem Bart, Wallner, zurück. Sie
bleiben noch einen Moment vor seinem Haus stehen, dann
verabschieden sie sich mit einer herzlichen Umarmung.
Wallner geht weiter, und Dreyman verschwindet im Hauseingang. Wiesler steht immer noch an der gleichen Stelle
und vermerkt Vorgang und Uhrzeit.*

Straße vor Dreymans Haus, Nacht

*Wiesler steht immer noch da. Eine große Limousine mit
verdunkelten Scheiben fährt durch die kleine Straße. Sie
fährt am Haus vorbei und bleibt an der Ecke stehen. Wies-*

ler schreibt das Kennzeichen auf. Christa steigt aus der Li-
mousine, blickt sich vorsichtig um und geht die ganze
Strecke zum Haus zu Fuß zurück. Wiesler ist einen Mo-
ment wie benommen. Dann notiert er die Zeit.

Straße vor Dreymans Haus, nächster Tag, Mittag

Wiesler steht an gewohnter Position, diesmal halb verdeckt
durch ein größeres Einsatzfahrzeug. Dreyman verläßt das
Haus. Kaum ist er außer Sichtweite, klopft Wiesler auf das
Autodach. Vier Männer steigen aus und gehen mit schnel-
len Schritten zur Tür. Sie tragen schwarze Einsatzkoffer.
Zwar sind sie in Zivil gekleidet, doch bewegen sie sich wie
Soldaten. Mit einem Vibrationskolben schließen sie die Tür
in wenigen Sekunden auf und schwärmen hinein. Ein Mit-
glied des Kommandos, als Handwerker verkleidet, trägt
eine Leiter zum Eingangsbereich und macht sich dort an
der Lampe zu schaffen. Die Männer gehen ein paar Trep-
pen hinauf, verfahren ebenso mit dem Schloß der Woh-
nungstür und betreten die Wohnung.

Dreymans Wohnung

Wiesler kommt nach ihnen herein. Es ist eine stolze und
großzügige Berliner Altbauwohnung, mit wenigen, aber
schönen antiken Möbeln und großen kraftvollen Gemäl-
den des sozialistischen Expressionismus. Wiesler hat einen
Grundriß der Wohnung in der Hand und blickt sich auf-
merksam und vergleichend um. Er nimmt eine Stoppuhr
zur Hand.
WIESLER Zwanzig Minuten.
   Er drückt auf den Startknopf. Die Verwanzungsarbeit
   beginnt. Die Koffer werden aufgeklappt, die Steckdosen

und Lichtschalter werden abgeschraubt, in allen Zimmern werden mit Geräten, die an große Nähnadeln erinnern, Drähte unter die Tapetenkanten eingeführt, Strom- und Schallmessungen gemacht. Es ist eine eingespielte Routine. Wiesler geht von Zimmer zu Zimmer, von Mann zu Mann und vergewissert sich, daß jeder seine Arbeit macht. Mit genauem Blick und ebenso genauem Strich trägt er Verbesserungen in der baubehördlichen Grundrißzeichnung ein. Auf seinem Gang durch die Wohnung bleibt er vor einer antiken Lampe stehen: ein Holzmohr mit goldenem Turban, der die Fassung trägt. Das ist für Wiesler Dekadenz pur. Auf Dreymans Schreibtisch sieht er ein gerahmtes Bild von Christa stehen. Er will danach greifen, besinnt sich aber im letzten Moment und zieht vorher einen schwarzen Handschuh an. Er betrachtet das Foto, stellt es wieder hin. Dann öffnet er eine Schreibtischschublade nach der anderen, findet einige Ausgaben der »FAZ« und des »SPIEGEL«. Als er sieht, daß alles glatt läuft, verläßt er für einen Moment die Wohnung.

Dreymans Treppenhaus

Durch die kreisrunde Öffnung eines Türspions sieht man Wiesler ins Treppenhaus treten. Offensichtlich wird er aus der gegenüberliegenden Wohnung beobachtet. Er geht die Treppe hinauf.

Frau Meinekes Wohnung, zur gleichen Zeit

Dreymans Nachbarin, die alte Frau Meineke, nimmt ihr Auge vom Türspion. Sie ist erschrocken über das, was sie gesehen hat.

Dreymans Treppenhaus, zur gleichen Zeit

*Wiesler ist in der obersten Etage angekommen, wo keine
Wohnungstüren mehr zu sehen sind, sondern nur noch die
Balken des Dachstuhls und eine Holztür, die zum Dachboden führt. Sie ist mit einem Sicherheitsschloß verriegelt.
Wiesler zieht ein kleines Etui aus seiner Tasche, nimmt einen kleinen Metallbügel und einen Draht heraus und öffnet das Schloß in wenigen Momenten. Er tritt ein.*

Dreymans Haus, Dachboden

*Der Dachboden ist sehr geräumig und – durch eine Fen-
sterfront – erstaunlich hell. Wiesler entfaltet eine weitere
Grundrißzeichnung, diesmal vom Dachboden, und geht
prüfend die Seiten des Raumes ab. Er ist zufrieden.*

Dreymans Wohnung, wenig später

*Die Männer machen sich gerade an der Türklingelanlage
zu schaffen, sind aber ansonsten fast fertig. Wiesler tritt
wieder hinzu und blickt auf die Uhr. Es ist noch eine Minute übrig. Die Männer verlassen die Wohnung. Der Einsatzleiter, Unteroffizier Meier, bleibt an der Tür stehen,
während Wiesler einen letzten Kontrollgang durch die
Wohnung macht. Er schiebt noch eine Vase so zurecht, wie
sie vorher stand, hebt eine kleine Faser vom Boden auf, damit auch sie nicht auffällt. Dann verläßt er hinter dem Einsatzleiter die Wohnung.*
*Gerade will er die Tür hinter sich zuziehen, da spürt er, daß
er beobachtet wird. Einen Augenblick bleibt er so stehen.
Man sieht ihn durch den Türspion von Frau Meineke.
Plötzlich dreht er sich zu ihrer Tür um und blickt genau in
den Spion.*

Frau Meinekes Wohnung, im gleichen Moment

Entsetzt weicht die alte Frau vom Türspion zurück.

Dreymans Treppenhaus, im gleichen Moment

*Das kleine Loch in der Tür wird wieder schwarz. Wiesler
geht entschlossen hin und klingelt. Es wird ihm nicht geöffnet. Mit gefährlicher Vehemenz klopft er an die Tür.
Schließlich öffnet Frau Meineke, eine Berliner Witwe vom
Typ Trümmerfrau (samt Säulenbeinen und Blumenschürze
aus Wachs), eine Frau, die wirklich noch nie jemandem etwas zuleide getan hat.*

WIESLER Frau Meineke, ein Wort zu irgendwem, und Ihre
Mascha verliert morgen ihren Medizin-Studienplatz.
Verstanden?
Frau Meineke kann vor Entsetzen nicht antworten.
WIESLER Ha-ben Sie ver-stan-den?
*Sie nickt.
Unteroffizier Meier ist beeindruckt, wie hart sein Vorge-
setzter ist. Wiesler geht die Treppe hinunter, Meier ehr-
furchtsvoll neben ihm.*

WIESLER Schicken Sie Frau Meineke zur Anerkennung für
   ihre Verschwiegenheit ein Geschenk.
UNTEROFFIZIER MEIER Was denn?
WIESLER Lassen Sie sich etwas einfallen.
UNTEROFFIZIER MEIER Einen Kaktus vielleicht?

Straße vor Dreymans Haus

Sie haben das Haus verlassen und sind an dem Einsatz-
fahrzeug angekommen, in dem die Männer bereits sitzen.
Sie steigen ein, Wiesler hinten, Meier auf dem Beifahrersitz.
WIESLER Ja, einen Kaktus.
   Sie knallen die Türen zu und fahren los.

Treppenhaus vor Jerskas Wohnung, Tag

Drei verschiedene Klingeln an der Wohnungstür warnen:
Gemeinschaftswohnung. Von innen hört man den lauten
Streit eines Ehepaares; ein Kind plärrt. Als Dreyman auf
den Klingelknopf »Jerska« drückt, bellt auch ein Hund.
MANN *(off-screen, von innen)* Ruhe, Wuff! Das ist für den
   Jerska!
   Nach einigen Momenten geht die Tür auf, und ein unra-
   sierter hagerer, großer Mann von Mitte 60 öffnet die
   Tür, eine Zigarette in der Hand. Er trägt ausgebeulte
   graue Flanellhosen und eine sehr alte beige Kaschmir-
   strickweste. Als er Dreyman sieht, lächelt er und winkt
   ihn herein.
JERSKA Schon wieder Donnerstag? Die Zeit vergeht so
   schnell. Na, ist ja auch gut so.
   Er führt Dreyman in die Wohnung.

Jerskas Wohnung

*Sie gehen durch den breiten Gang der eigentlich schönen
Altbauwohnung. In der Küche steht das Paar, die Frau mit
einer Schürze, der Mann ohne Oberhemd, und beschimpft
sich noch immer. Der Hund bellt, als Dreyman und Jerska
vorbeigehen.*

DREYMAN Guten Tag.

*Sie grüßen stumpf zurück, streiten aber im nächsten
Moment weiter. Dreyman und Jerska fliehen durch eine
zweiflügelige Tür in Jerskas Zimmer, einen großen
Raum, der auf den beiden Längsseiten, die von der Tür
zum Fenster führen, bis zur Decke vollgestellt ist mit
Büchern. Der Raum hat etwas von Fausts Studierstube,
nur ist er noch unordentlicher. Jerska setzt sich auf sein
Sofa.*

DREYMAN Wie geht es dir?

JERSKA Gar nicht so schlecht. Willst du?

*Er hat schon zwei Gläser georgischen Weins eingegos-
sen und reicht eines Dreyman, ohne dessen Antwort ab-
zuwarten. Dreyman nimmt es und setzt sich ebenfalls.
Draußen wird das Geschrei der Nachbarn immer lauter.*

JERSKA (*ist sich bewußt, wie die Szene wirkt*) Der Lärm-
pegel ist nicht immer so.

DREYMAN Nur an Donnerstagen.

Jerska lacht kurz, um die Bemerkung zu überspielen.

DREYMAN Wir haben dich vermißt, bei der Premiere.

JERSKA Wie war sie denn? Hatte Schwalber etwa einen guten Einfall?

DREYMAN Was gut war, hat er von dir geklaut.

JERSKA So bleibe ich lebendig … Nimm's mir nicht übel,
aber ich kann den Anblick von diesen fetten, aufgetakel-
ten Menschen bei so einer Premiere nicht mehr ertragen.

Dreyman blickt erstaunt.

JERSKA Das klingt nicht nach mir, willst du sagen, was?

Aber vielleicht klingt gerade das nach mir. Vielleicht
war das damals der falsche Jerska: freundlich und men-
schenlieb durch das Kraftfutter des Erfolgs ... den ich
der Gnädigkeit der Bonzen zu verdanken hatte.

Er hält die Weinflasche Dreyman hin, aber als er sieht,
daß dessen Glas noch voll ist, gießt er nur sich selbst
wieder ein und trinkt.

JERSKA Aber ich werde nicht mehr lange jammern.

Dreyman blickt fragend auf.

JERSKA In meinem nächsten Leben werde ich einfach auch
Schriftsteller, ein glücklicher Schriftsteller, der immer
schreiben kann, wie du. Nein, vielleicht lieber ein Ro-
mancier als ein Dramatiker ... Was hat ein Regisseur,
der nicht inszenieren darf? Nicht mehr als ein Filmvor-
führer ohne Film, ein Müller ohne Mehl. Er hat gar
nichts mehr. (*leise wiederholend, als ob ihm erst jetzt*
klar würde, wie wahr das ist) Gar nichts mehr ...

DREYMAN Albert, auf der Premierenfeier war auch der
Minister, Minister Hempf. Ich habe mit ihm über dein
Verbot gesprochen.

Dreyman hebt den Kopf und blickt Jerska an: Der ist
ganz starr geworden vor Anspannung, gibt keinen Laut
von sich. Selbst von den lärmenden Nachbarn hört man
nichts. Dreyman bringt es nicht übers Herz.

DREYMAN ... es sieht gut aus. Er hat mir Hoffnung gemacht. Ganz konkret, ganz wörtlich.

Jerska schließt kaum merklich einen Moment vor Er-
leichterung die Augen.

JERSKA ... wirklich? Das ist schön ...

Aber man nimmt es ihm nicht ab, daß er Dreyman
glaubt. Man ahnt: Innerlich kennt er die Wahrheit.

Dreymans Haus, Dachboden, Abend

Der Dachboden hat sich sehr verändert. Die Fensterfront ist
mit schwarzen Filzplatten zugenagelt; durch die Ritzen fällt
nur wenig Licht. Wiesler kommt zur Tür herein und legt den
Hauptschalter um. Ein Schwarzweiß-Monitor, der den Ein-
gangsbereich überwacht, springt an, ebenso die Lämpchen
an den vielen anderen Geräten. Mit hüpfendem Klirren er-
wacht auch die Neonröhre zum trostlosen Leben. Ihr Licht
gibt den Blick auf die anspruchsvolle Abhörzentrale frei, in
die sich der Dachboden inzwischen verwandelt hat. Auf
schlichten Tischplatten sind verschiedene Toneinstellungs-
und Empfangsgeräte aufgebaut. Auf dem Monitor sieht
Wiesler, wie Dreyman gerade vor dem Haus ankommt.
Wiesler läßt sich am Tisch nieder, setzt seinen Kopfhörer auf
und beginnt sich einzupegeln. Nach einem kurzen Moment
hört man das Klappern des Schlüssels im Türschloß.

Dreymans Wohnung, zur gleichen Zeit

Christa steht auf einem Stuhl und ist dabei, eine Girlande
aufzuhängen. Dreyman kommt herein und umarmt ihre
Beine.

CHRISTA-MARIA (*dekoriert weiter, den Geruch kommen-*
tierend, der zu ihr aufsteigt) Billiger georgischer Wein,
Marke Jerska ...
Dreyman lacht ein bißchen.

CHRISTA-MARIA Und, wie geht es unserem heiligen Trin-
ker? Kommt er?
Dreyman antwortet nicht. Er blickt ernst und traurig
zur Seite. Christa merkt es, beugt sich von ihrem Stuhl
zu Dreyman hinunter, umarmt ihn liebevoll.

CHRISTA-MARIA Du bist stark und kraftvoll. Und so brauche ich dich. Ich brauche dich heil! Hol dir nicht diese
Kaputtheit in dein Leben.

DREYMAN Christa, Albert ist mein Freund.

CHRISTA-MARIA Und du bist meiner.

Dreyman will ablenken, steigt selber auf den Stuhl und beginnt auch eine Girlande aufzuhängen. Darauf steht mit großen Ziffern »50«.

DREYMAN 50! Ich werde 40! … Oder werde ich wirklich schon 50?

Er hängt sie so ungeschickt auf, daß das Ende abreißt und die ganze Girlande zu Boden fällt.

CHRISTA-MARIA Ich mache das schon! Geh du nur dich selber dekorieren. Und vergiß nicht, daß du mir versprochen hast, daß du zu deinem Geburtstag einen Schlips anziehst.

DREYMAN Das würde ich ja gerne machen, aber ich habe leider keinen.

Christa hat diese Antwort erwartet. Sie nimmt ein kleines, hübsch verpacktes Geschenk vom Tisch und reicht es ihm.

CHRISTA-MARIA Bon anniversaire!

Dreyman nimmt es zögernd entgegen.

DREYMAN *(besorgt)* Ein Schlips?

CHRISTA-MARIA Du hast doch gesagt: keine Bücher. Oder kannst du am Ende gar keinen Schlips binden, du alter Arbeiterdichter?

DREYMAN Ich, keinen Schlips binden? Ich bin schon mit Schlips geboren. Du vergißt, daß ich mich durch eigene Kraft von den Fesseln des Bürgertums freikämpfen mußte.

Christa lacht.

CHRISTA-MARIA Gut, dann lege sie nur für mich noch einmal an, die Fesseln.

Dreyman verläßt das Zimmer und geht in den Vorraum, wo ein großer Spiegel hängt.

DREYMAN (*spricht sich Mut zu*) So, Schlips binden, eine Kleinigkeit!

Er versucht es zunächst mit selbstbewußten Gesten. Es geht schief. Dann bindet er den Schlips wie einen normalen Knoten. Es sieht nicht gut aus. Er versucht ihn wie einen Schnürsenkel zu binden. Auch das mißlingt.

DREYMAN (*zu sich selbst*) Das kann doch nicht so schwer sein!

Abhörzentrale, zur gleichen Zeit

Wiesler sitzt mit ernstem Gesicht und perfekt gebundenem Schlips da und hört genau zu.

Dreymans Wohnung

Dreyman gerät in leichte Panik. Plötzlich hört er draußen im Treppenhaus ein Geräusch. Er macht die Wohnungstür auf und sieht Frau Meineke, die gerade mit schwerem Dederonnetz vom Einkaufen zurückkommt.

DREYMAN (*aufgeregt, verschwörerisch*) Frau Meineke! Frau Meineke! Bitte, bitte, nur einen Moment!

Dreyman winkt die verstörte Witwe zu sich in den Vorraum.

DREYMAN Frau Meineke! Sie sind meine Rettung! Bitte! Sie können doch sicherlich einen Schlips binden!

*Frau Meineke wirkt immer noch etwas verstört. Sie
nimmt den Schlips, den Dreyman ihr entgegenhält, und
bindet ihn, langsam, aber gekonnt. Dreyman wirft vor-
sichtige Blicke zum Wohnzimmer: Christa darf nichts
mitbekommen.*

DREYMAN Frau Meineke, Sie können sich nicht vorstellen,
wie dankbar ich Ihnen bin.

*Frau Meineke versucht zu lächeln, aber es gelingt ihr
nicht ganz.*

DREYMAN Geht es Ihnen nicht gut.

FRAU MEINEKE Mir geht es gut.

Der Knoten ist fertig.

DREYMAN Fertig?

*Frau Meineke steht etwas betreten da. Dreyman mustert
sich im Spiegel.*

DREYMAN Großartig. Besser geht es wirklich nicht. Das
bleibt aber unser Geheimnis, in Ordnung? Können Sie
ein Geheimnis behalten?

*Frau Meineke ist so mitgenommen von dieser Wendung,
daß sie plötzlich aus der Wohnung stürmt. Dreyman
blickt ihr etwas verwundert nach.*

Abhörzentrale, zur gleichen Zeit

*Wiesler hört genau hin. Er schüttelt ganz leicht den Kopf
über Frau Meinekes schwache Nerven.*

Dreymans Wohnung

*Dreyman geht wieder zurück in die Wohnung, wo Christa
inzwischen Gläser mit Saft füllt. Wie selbstverständlich
stellt er sich neben sie und beginnt eine Flasche zu entkor-
ken. Christa sieht den Schlips.*

CHRISTA-MARIA Donnerwetter! Ich dachte wirklich, du kannst es nicht. Du hältst doch sonst nicht mit deinen Fähigkeiten hinterm Berg.

DREYMAN (*nur halb scherzhaft*) Du *ahnst* ja gar nicht, was ich noch alles so kann!

Abhörzentrale, zur gleichen Zeit

Wiesler hebt die Brauen in leichter Verachtung.

Dreymans Wohnung

Christa lacht. Da klingelt es an der Tür.

CHRISTA-MARIA Der erste Gast!

Sie läuft zur Tür und betätigt den Türöffner. Es klingelt gleich wieder. Sie drückt noch einmal. Es klingelt wieder.

CHRISTA-MARIA (*seufzend*) Unsere lieben, braven Nachbarn haben unten wieder zugesperrt. Gehst du?

Dreyman hat den Schlüssel bereits in der Hand.

DREYMAN Bin schon unterwegs.

Als Dreyman gegangen ist, schließt Christa die Tür, greift nervös nach ihrer Handtasche auf der Kommode, holt ein kleines braunes Medikamentenröhrchen »Aponeuron« heraus und nimmt zitternd zwei Tabletten ein, die sie zerkaut. Es scheint ihr gleich besser zu gehen.

Dreymans Wohnung, später

Die Party ist in vollem Gange. Dicht gedrängt stehen coole DDR-Intellektuelle, Mittvierziger, in Dreymans Wohnung, rauchen, unterhalten sich. Ein junges Paar, Line und Wal-

ter, kommt herein. Sie haben ein verpacktes Geschenk in
der Hand, das eine sehr kuriose Form hat; es könnte eine
Trompete sein.

DREYMAN Und ich hatte doch ausdrücklich gesagt: keine
Bücher.

Die Freunde lachen. Dreyman will das Geschenk gleich
aufmachen, aber als er gerade ansetzt, kommt Christa,
begrüßt die Freunde, nimmt ihm das Geschenk aus der
Hand und legt es zu den anderen.

CHRISTA-MARIA Möchtet ihr etwas trinken?

DREYMAN Wodka? Wasser? Schampanskoje?

Die Freunde sagen ihm, was sie möchten. Er geht los,
um die Getränke zu holen, sieht aber in einer Ecke vor
einem Bücherregal Jerska sitzen, ganz allein, in ein Buch
vertieft. Dreyman bleibt stehen. Er hält ein junges Mäd-
chen an.

DREYMAN Hanne, bist du so lieb und holst Line und Walter ein Bier und ein Wasser?

Dreyman geht auf Jerska zu, trifft aber unterwegs auf
Wallner, seinen dicken, bärenhaften Freund. Er packt
ihn am Revers und zieht ihn nahe zu sich heran.

DREYMAN (*zornig*) Was soll das? Warum sitzt Albert dort
ganz alleine?

Wallner befreit sich erstaunt und ein bißchen beleidigt
aus Dreymans Griff.

WALLNER Er will nicht mit uns sprechen. Er hat uns alle
abgewiesen.

Dreyman blickt zu Jerska und geht zu ihm hin. Jerska ist
in einen Gedichtband mit gelbem Einband versunken.
Dreyman setzt sich neben ihn.

JERSKA (*liest vor*)

Es war einmal ein Adler
Der hatte viele Tadler
Die machten ihn herunter
Und haben ihn verdächtigt

Er könne nicht schwimmen im Teich.
Da versuchte er es sogleich
Und ging natürlich unter.
(Der Tadel war also berechtigt).
Er blickt lächelnd zu Dreyman auf.

Abhörzentrale, zur gleichen Zeit

Wiesler hört zu. Es ist nicht zu erkennen, ob er das Gedicht witzig oder ärgerlich findet.

Dreymans Wohnung

JERSKA Hier, ich habe dir auch etwas mitgebracht.
Jerska deutet auf ein Geschenk, das in der Form an ein Album erinnert und in braunes Packpapier eingewickelt neben ihm auf dem Sofa liegt. Dreyman blickt kurz hin, geht aber nicht darauf ein.
DREYMAN Bist du wirklich hierhergekommen, um zu lesen?
Jerska schlägt den Band zu, auf dessen Einband »Bertolt Brecht« steht.
JERSKA (*bemüht witzig*) Immerhin ist es Brecht. (*dann ernst*) Ich komme mir vor wie ein Hochstapler unter all diesen Leuten.
DREYMAN Hochstapler!? Albert, komm! Du verlierst den Bezug zur Wirklichkeit! Du weißt doch, wie wir dich bewundern! Wie *alle* dich bewundern!
JERSKA Ja, für etwas, was ich vor zehn Jahren gemacht habe – und wahrscheinlich gar nicht mehr könnte.
Dreyman weiß nicht mehr, was er sagen soll, und legt Jerska nur den Arm um die Schulter. Er sitzt einen Moment schweigend neben seinem Freund und blickt zu

Boden. Als er wieder aufschaut, sieht Jerska in eine Ecke
des Raums, in der Hauser und der Regisseur Schwalber
zusammenstehen. Das verspricht Ärger, was man schon
an Hausers Körperhaltung sieht. Dreyman entschuldigt
sich mit einem Blick bei Jerska und geht auf die beiden
zu. Hauser spricht gerade übertrieben freundlich auf
Schwalber ein, der das Gespräch am liebsten beenden
möchte. Aber sobald er Anstalten macht zu gehen, rückt
Hauser nach.

HAUSER Nein, bitte, erkläre mir doch noch einmal genau,
wie du in diese Position gekommen bist. Durch Talent,
natürlich, natürlich, aber was hast du noch gemacht,
hm?

Als Schwalber nicht antwortet und wieder versucht, sich
ihm zu entziehen, bricht es aus Hauser heraus.

HAUSER Daß du Nichtskönner bei der Stasi bist, das weiß
doch jeder!

SCHWALBER (*schnell*) Das ist eine unerhörte Unterstel-
lung!

DREYMAN (*fährt dazwischen*) Paul!!

Einige Gäste haben aufgehört zu sprechen. Dreyman
wendet sich demonstrativ Schwalber zu.

DREYMAN Schwalber, entschuldigen Sie bitte meinen
Freund. Er hat zuviel getrunken.

Schwalber ist nur zu froh, diese Sache hinter sich zu
bringen, winkt beschwichtigend ab und taucht in der
Menge unter. Dreyman nimmt Hauser am Arm und
führt ihn in eine stillere Ecke.

HAUSER Was sollte denn das? Jeder weiß doch, daß der bei
der Stasi ist.

DREYMAN Nein, Paul, wissen tun wir's nicht.

Hauser nimmt ärgerlich seine Jacke, versucht sie anzu-
ziehen, kämpft lange und ungeschickt (eben tatsächlich
etwas betrunken) mit dem Ärmel, bis Dreyman ihm hin-
einhilft, was nicht zu dem dramatischen Abgang paßt,
den Hauser sich erhofft hat. Das steigert seine Wut noch.

HAUSER Du bist so ein jämmerlicher Idealist, daß du fast
schon ein Bonze bist. Wer hat denn Jerska so kaputtge-
macht? Genau solche Leute: Spitzel, Verräter und An-
passer! Irgendwann muß man Position beziehen, sonst
ist man kein Mensch. Wenn du je etwas unternehmen
willst, dann melde dich bei mir. Ansonsten brauchen wir
uns nicht mehr zu sehen.
*Er geht. Dreyman ist nicht unberührt von dem, was sein
Freund gesagt hat.*

Abhörzentrale, zur gleichen Zeit

*Wiesler hat vor sich auf der Tischplatte unter anderem
auch eine Schreibmaschine. Auf dem eingespannten Blatt
Papier steht bereits: »Jerska liest ›Lazlo‹ ein Gedicht von
B. Brecht vor. Wegen konterrevolutionären Inhalts Vermutung auf West-Ausgabe.« Jetzt schreibt er dazu in einem
neuen Absatz: »Zukünftig vorsichtiger sein im Einsatz des
IM ›Max Reinhardt‹. Dekonspiration durch Hauser.«*

Dreymans Wohnung

*Dreyman geht zurück zu seinen Freunden. Einige stehen
nur da und sagen nichts. Andere sprechen miteinander und
blicken dabei Dreyman oder Schwalber an. Die Verstim-
mung ist so präsent wie der Zigarettenrauch. Dreyman
überspielt es gekonnt, nickt auf dem Weg zum Klavier hier
einem Freund zu, lächelt dort eine Frau an. Schließlich setzt
er sich auf den Klavierhocker und haut in die Tasten – eine
harmlose Saloon-Melodie –, so daß die Stimmung schon
sehr schnell wieder in Ordnung kommt. Christa und Dreyman schauen sich an. In der Ecke sitzt traurig Albert
Jerska.*

Dreymans Wohnung, einige Stunden später

Dreyman und Christa schließen gerade die Tür hinter dem letzten Gast. Christa streift ihre Schuhe ab und fällt ermattet auf das Sofa, auf dem vorher Jerska gesessen hat. Dreyman ist nicht erschöpft. Er tritt angeregt an den Tisch mit den Geschenken und beginnt sie auszupacken. Er ist begeistert von allem, was er bekommen hat – Salatbesteck, ein kleines Gemälde, ein Gartenzwerg, ein kleines Holzfaß mit Schnaps (die Ziffer »50« ist eingebrannt), eine Gipsbüste von Maxim Gorki, ein schauderhaft verzierter goldener Füllfederhalter. Er freut sich über alles. Sie schaut ihm liebevoll-spöttisch zu.

CHRISTA-MARIA Viel Geschmack haben deine Freunde nicht.

DREYMAN Das ist doch wirklich ungerecht. Hier zum Beispiel dieser Rückenkratzer – ist wunderschön!

CHRISTA-MARIA *(lachend)* Das ist eine Salatgabel ...

DREYMAN Trotzdem wunderschön! Und hier *(er nimmt den goldenen Federhalter zur Hand)*: Mit dem werde ich mein nächstes Stück schreiben.

Christa streckt sich vor Müdigkeit.

CHRISTA-MARIA Du hast eben auch keinen Geschmack.

Er geht lächelnd zu Christa hinüber.

DREYMAN In manchen Sachen schon.

Er setzt sich zu ihr aufs Sofa. Da ist ihm plötzlich ein
Gegenstand im Weg. Es ist das Geschenk von Jerska,
das noch dort liegt.

DREYMAN Von Jerska.

Er beginnt es auszupacken.

CHRISTA-MARIA Er hat dir natürlich doch ein Buch geschenkt.

Jetzt hat Dreyman das Geschenk ausgepackt. Es ist kein
Buch, sondern eine Klavierpartitur mit dem seltsamen
Titel »Die Sonate vom Guten Menschen«. Traurig legt
er sie weg. Offensichtlich bedeutet ihm dieses Geschenk
etwas, an das er aber jetzt nicht erinnert werden will.
Er küßt sie. Sie läßt es gern geschehen. Die Küsse wer-
den heftiger. Dreyman versucht, seinen Schlips zu lösen,
mit einer Hand, wie er es aus dem Kino kennt. Es miß-
lingt. Schließlich befreit Christa ihn mit gekonntem
Griff und erlöst ihn noch etwas mehr als nötig, indem
sie beginnt, sein Hemd aufzuknöpfen. Er macht das
gleiche bei ihrer Bluse.

Abhörzentrale, zur gleichen Zeit

Mit grimmiger Distanziertheit hört Wiesler den leiden-
schaftlichen Lauten zu. Er blickt auf die Uhr und tippt den
letzten Satz des Tagesberichtes auf seiner Schreibmaschine.
»»Lazlo‹ und CMS packen Geschenke aus. Danach vmtl.
Geschlechtsverkehr.« Die eindeutigen Geräusche lassen
diese letzte Annahme mehr als »vmtl.« erscheinen. Wiesler
blickt noch einmal auf die Uhr. Es ist ihm nicht angenehm,
sich das anhören zu müssen. Es ist drei Minuten nach elf.
Da kommt auch schon die Nachtschicht in Gestalt von
Udo, einem zerzausten Berliner Kauz von Ende 30.

WIESLER Sie sind zu spät.

Udo blickt erstaunt zur Uhr. Es ist vier Minuten nach elf. Daß jemand das »zu spät« nennen kann ...

UDO Entschuldigen Sie, Genosse Hauptmann. Bin in so 'ne Rotphase geraten. Da kann man leicht mal vier Minuten verlieren. Sie wissen ja, wie det is.

Wieslers grimmiger Blick besagt eher, daß er es nicht weiß oder zumindest nicht wissen will. Er hat sich lautlos erhoben und zieht seine Jacke an. Udo setzt sich und stülpt den Kopfhörer über seine Ohren.

UDO *(begeistert)* Hoho! ... Die sind ja schon bei der Sache! ... Diese Künstler ... bei denen geht's ab! ... Wissen Sie, Kollege, deshalb überwache ich lieber Künstler als Priester oder diese Friedensapostel.

Wiesler ist von diesen Ausführungen angeekelt. Er nimmt sich seinen Mantel.

WIESLER Bis morgen früh 11:00.

Wiesler geht. Udo winkt, nicht unzufrieden, allein zurückzubleiben, setzt sich im Stuhl gemütlich tiefer, legt beide Beine auf den Tisch, nimmt eine Stulle aus der Jackentasche und beginnt sie auszupacken.

Normannenstraße, Stasi-Archiv, Karteiraum, Tag

Im beeindruckenden gläsernen Käfig des zentralen Karteiarchivs stehen zwei Dutzend elektrische Karteikästen. Zwei Wächter, die hinter einer Glaswand erhöht sitzen, überwachen den Zugang. Wiesler blättert durch das Archiv und findet die Karte, die er sucht.

OBERSTLEUTNANT GRUBITZ *(off-screen, von der Karteikarte ablesend)* Albert Jerska, »OV Engerling«.

Wiesler dreht sich um und sieht seinen Freund und Vorgesetzten hinter sich stehen.

OBERSTLEUTNANT GRUBITZ Wiesler, wie gewohnt systematisch! Ich lasse dir die Akte heraussuchen. Komm, wir gehen Mittag essen.

Normannenstraße, Kantine des MfS, wenig später

In der Selbstbedienungskantine, die aussieht wie in den meisten Betrieben der Welt, gibt es wie überall Tische für die Chefs und Tische für das Fußvolk. Wiesler nimmt an dem Tisch Platz, wo die einfachen Chargen sitzen.

OBERSTLEUTNANT GRUBITZ Warst lange nicht mehr hier: Der Stabstisch ist dort.

WIESLER *(bleibt sitzen)* Irgendwo muß der Sozialismus doch beginnen.

Grubitz setzt sich widerwillig, aber auch ein bißchen amüsiert dazu, worüber das »Volk« nicht eben erfreut zu sein scheint. Ein anderer Stabsoffizier geht vorbei und macht eine erstaunte Bewegung zu Grubitz in Richtung Cheftisch. Grubitz weist schulterzuckend auf Wiesler.

OBERSTLEUTNANT GRUBITZ Mein Freund ist Demokrat … *Dann kommt er auf das zu sprechen, was ihm eigentlich am Herzen liegt.*

OBERSTLEUTNANT GRUBITZ *(ernst, leise)* Wegen deiner Autokennzeichen-Anfrage von der Limousine, die Frau Sieland nachts heimlich nach Hause gebracht hat … Es handelt sich hier um den Wagen von Minister Hempf. Wiesler, führende Genossen dürfen wir nicht erfassen.

Ich habe die Erwähnung aus deinem Bericht gestrichen. In Zukunft nichts Schriftliches mehr darüber. Wenn es etwas gibt, mündlich an mich. *(freudig erregt, nachdem der offizielle Teil nun vorbei ist)* Wir helfen also einem ZK-Mitglied, seinen Rivalen aus dem Weg zu schaffen. Ich muß dir wohl nicht sagen, was es, angesichts dieser neuen Information, für meine Karriere bedeuten könnte, und für deine, wenn wir etwas finden?

Grubitz strahlt Wiesler an. Wiesler blickt ernst zurück.

OBERSTLEUTNANT GRUBITZ Was ist?

Wiesler ist von der Information, daß er für eine Privatmission mißbraucht wird, sehr mitgenommen. Einige Momente vergehen.

WIESLER Sind wir dafür angetreten?

Grubitz versteht nicht.

WIESLER Weißt du noch unseren Eid? »Schild und Schwert der Partei«?

OBERSTLEUTNANT GRUBITZ Aber was ist die Partei denn anderes als ihre Mitglieder? Und wenn die Mitglieder großen Einfluß haben – um so besser!

Ein junger Mann in Jeans und Lederjacke setzt sich an den Tisch, über das ganze Gesicht grinsend.

MITARBEITER Ich hab' wieder einen: Honecker kommt frühmorgens in sein Büro und öffnet das Fenster. Er sieht die Sonne und sagt ... Was ist?

Erst jetzt folgt er den warnenden Kopfbewegungen seiner Kollegen zu Wiesler und vor allem Grubitz hin. Er erschrickt, als er sie sieht.

MITARBEITER Entschuldigen Sie bitte ... ich – das war ...

OBERSTLEUTNANT GRUBITZ *(jovial)* Ich bitte Sie, Kollege; man wird doch wohl auch über den Staatsratsvorsitzenden lachen dürfen. Erzählen Sie nur. Wahrscheinlich kenne ich ihn sowieso schon.

Der Mitarbeiter traut dem Frieden nicht ganz. Aber Grubitz blickt ihn erwartungsvoll an. Auch seine Freunde schauen zu ihm.

MITARBEITER (*zögernd*) Also ... der Genosse Generalsekretär sieht die Sonne ... und sagt ... er sagt: »Guten Morgen, liebe Sonne.«
Der letzte Satz klang – vielleicht weil der Mitarbeiter zu
viel Angst hat – nicht sehr nach Honecker. Grubitz hilft
nach.

OBERSTLEUTNANT GRUBITZ (*als perfekter Erich Honecker*) Guten Morgen, liebe Sonne?!
Alle lachen. Jetzt wird auch der Mitarbeiter wieder lok-
ker.

MITARBEITER Die Sonne antwortet: »Guten Morgen, lieber Erich.« Honecker arbeitet und geht am Mittag zum
Fenster und sagt: »Guten Tag, liebe Sonne.« Die Sonne
antwortet: »Guten Tag, lieber Erich.«
Jetzt klingt die Imitation schon deutlich besser. Der Er-
zähler kommt in Fahrt.

MITARBEITER Am Abend macht Erich Feierabend und
geht noch einmal zum Fenster und sagt: »Guten Abend,
liebe Sonne.« Die Sonne antwortet nicht. Honecker sagt
nochmals: »Guten Abend, liebe Sonne. Was ist denn mit
dir los?« Die Sonne antwortet: »Leck mich am Arsch.
Ich bin jetzt im Westen.«
Alle lachen, am lautesten Grubitz. Nur Wiesler verzieht
keine Miene. Grubitz bemerkt es und hört plötzlich, von
einer Sekunde zur anderen, auf zu lachen. Er blickt den
Mitarbeiter hart an. Innerhalb weniger Momente ver-
stummt das Gelächter.

OBERSTLEUTNANT GRUBITZ (*fixiert den Mitarbeiter*) Name? Rang? Abteilung?

MITARBEITER I... ich? St... Stigler. Unterleutnant Axel
Stigler. Abteilung M.

OBERSTLEUTNANT GRUBITZ Ich brauche Ihnen nicht zu sagen, was das für Ihre Karriere bedeuten wird, was Sie
gerade getan haben.

MITARBEITER (*flehend, ringend*) Bitte ... bitte, Genosse

Oberstleutnant, ich habe doch … habe doch nur …

OBERSTLEUTNANT GRUBITZ Sie haben doch nur … unsere Partei verhöhnt. Das war Hetze. Und sicher nur die Spitze des Eisbergs. Ich werde es dem Büro des Ministers melden.

Stiglers Gesicht zuckt. Er wird sichtbar weiß. Wiesler sieht Grubitz etwas verwundert an. Grubitz erwidert seinen Blick, dann dreht er sich wieder zu Stigler. Plötzlich bricht er in erneutes Gelächter aus.

OBERSTLEUTNANT GRUBITZ War doch nur Spaß! Hahahaha! Der war gut, was? War der gut?

Zögernder als beim ersten Mal stimmt die Runde in sein Gelächter ein.

OBERSTLEUTNANT GRUBITZ Ihrer war auch gut. Aber ich kenn' noch einen besseren. Also: Was ist der Unterschied zwischen Erich Honecker und 'nem Telefon? Na? Keiner! Aufhängen! Neu wählen! Hahahaha.

Wiesler hört überhaupt nicht mehr, was gesagt wird. Er sieht nur noch die lachenden Gesichter seines Vorgesetzten und des ministerialen Unterbaus. Wieder einmal wird er damit konfrontiert, wie anders als er andere ihren Glauben an den Kommunismus leben.

Dreymans Wohnung, später Abend

Dreyman sitzt in seiner warmen, schönen Wohnung am Schreibtisch und schreibt, und zwar tatsächlich mit seinem neuen goldenen Füllfederhalter (auch der »Rückenkratzer« liegt noch da). Er fühlt sich beim Schreiben wohl. Ein ruhiger, heiterer Ausdruck liegt auf seinem Gesicht, fast ein Lächeln. Man hört nur das hypnotische Kratzen der Feder.

Abhörzentrale, zur gleichen Zeit

*In der Mitte des neongrün beleuchteten Dachbodens steht
Wiesler. Er trägt einen Kopfhörer mit sehr langem Kabel,
hat den Grundriß von Dreymans Wohnung in der Hand
und zeichnet auf dem dunklen, rauhen Holzboden mit weißer Kreide die Umrisse der Wohnung nach.*

Straße vor dem Künstlereingang
der Gerhart-Hauptmann-Bühne, zur gleichen Zeit

*Christa und ihre Kollegen, in warme Mäntel eingehüllt,
verabschieden sich nach der Aufführung voneinander.*
CHRISTA-MARIA Du warst großartig!
BRIGITTE Du warst besser!
  *Sie geben sich Küßchen auf die Wangen, dann trennt
  sich die kleine Gruppe. Christa ist allein. Sie schlägt ihren Pelzkragen hoch, weil es sehr kalt ist. Plötzlich fährt
  eine schwarze Wolga-Limousine lautlos heran und hält
  mit ihr Schritt. Eine der dunklen Fensterscheiben wird
  heruntergelassen.*
HEMPF Kalt?

*Christa zuckt zusammen. Einen kleinen Moment ver-
langsamt sie ihren Schritt; dann geht sie weiter, schneller
als zuvor.*

HEMPF (*durchs Fenster, gefährlich sanft*) Christa, Christa
… Du hast unsere kleine Verabredung am Donnerstag
vergessen. Oder hatte dein Dichter vielleicht zweimal
hintereinander Geburtstag? (*streng*) Steig ein!

*Der Wagen hält an, und Christa tut, was Hempf ver-
langt. Sie steigt in die Limousine wie auf ein Schafott.*

Ministeriallimousine

*Hempf ist in der Stimmung, in der ein machtgewohnter
Mann am gefährlichsten ist: zornig-lüstern. Er sitzt da und
blickt sie an.*

HEMPF Du weißt nicht, was gut für dich ist, Mädchen.
Aber sei unbesorgt: Ich pass' schon auf dich auf.

*Er beginnt, mit einer Hand ihr Kostüm aufzuknöpfen.
Dann plötzlich kommt er mit seinem ganzen starken
Körper an sie heran, wie ein Kind, wie ein Tier. Er umarmt sie, preßt sie an sich. Sie ist wie gelähmt. Oder
empfindet sie auch etwas? Dann wendet sie ihren Kopf
ab; ob sie das tut, um ihm ihren Mund zu verweigern*

oder um ihm ihren Hals zu bieten, ist nicht klar. Sein
Kuß auf ihren Hals ist leidenschaftlich.*

HEMPF (*mit unsteter Stimme*) Sag mir, daß du es nicht
auch brauchst. Sag ein Wort, und ich lasse dich sofort
gehen.

*Sie sagt nichts. Er küßt sie intensiver, will jeden Teil
ihres Körpers gleichzeitig berühren.*

CHRISTA-MARIA (*außer Atem*) Ich bin verabredet ...

HEMPF Was glaubst du, wo wir hinfahren!? Ich fahre dich
ja zu ihm!! So bist du nur noch schneller da!

*Durch den Rückspiegel sieht man aus Nowacks Perspek-
tive in Ausschnitten, was auf dem Rücksitz geschieht.
Hempf hat vor seinem Fahrer nichts zu verbergen.*

HEMPF (*off-screen, in Ekstase*) Christa! Meine Christa!

Sie fahren in Dreymans Straße ein.

Abhörzentrale, zur gleichen Zeit

*Wiesler sitzt vor seiner Abhörtechnik, als er plötzlich auf
dem Schwarzweiß-Monitor die Limousine des Ministers
vorbeifahren sieht. Er weiß, was das bedeutet.*

WIESLER (*zu sich selbst*) Zeit für bittere Wahrheiten!

*Er macht sich am Kontrollgerät zu schaffen, zieht einen
Draht aus einer Verbindung und führt ihn mit einem anderen, freiliegenden Draht zusammen. Das Resultat: Es
klingelt bei Dreyman.*

Dreymans Wohnung, zur gleichen Zeit

*Dreyman geht auf das Klingeln hin zur Tür und drückt auf
den Türöffner. Es hört nicht auf zu klingeln.*

DREYMAN (*für sich*) Diese Idioten haben schon wieder ab-
geschlossen!

Er nimmt seinen Schlüssel von der Kommode und rennt
hinunter. Weiteres Klingeln.
DREYMAN Jajaa …

Abhörzentrale, zur gleichen Zeit

Der Rhythmus des Klingelns ist der Rhythmus, mit dem
Wiesler die Kontakte schließt. Als er Dreymans Schritte auf
der Treppe hört, legt er die Drähte beiseite. Er schaut auf
seinen Monitor. Kurz darauf erscheint dort Dreyman. Vor
der Tür ist niemand, was Dreyman wundert. Dann schaut
er die Straße entlang. Und sieht das, was er sehen soll. Die
schwarze Limousine steht dort. Und während er sie be-
trachtet, wird Christa aus ihr ausgespuckt wie ein abge-
kauter Knochen. Die Straße ist ganz ruhig, und man hört
jeden Ton fast übernatürlich klar.
HEMPF (*off-screen*) Und nächsten Donnerstag im Metro-
pol!
CHAUFFEUR (*off-screen*) Nach Hause, Genosse Minister?
HEMPF (*off-screen*) Ja, fahren Sie!
Die Limousine verschwindet in der leeren, nächtlichen
Straße. Christa steht einen Moment wie betäubt da.
Dann zieht sie ihren Rock zurecht, eine Bewegung, die

keinen Zweifel darüber läßt, durch was ihre Kleidung in Unordnung geraten ist. Mit unsicheren Schritten, leicht wankend, beginnt sie auf das Haus zuzugehen. Dreyman weicht in den Vorraum zurück, stellt sich in eine dunkle Ecke neben der Tür. Christa schließt mit ihrem Schlüssel auf. Sie ist verzweifelt. An Dreymans Versteck geht sie vorbei, ohne ihn zu sehen. Langsam steigt sie die Treppe hinauf, ihre Schritte entfernen sich. Dann ist Ruhe. Dreyman bleibt erschüttert zurück.

Dreymans Wohnung

Christa geht gleich ins Badezimmer, schließt sich dort ein, wäscht sich, will sauber werden, kann es nicht, bricht weinend in der Dusche zusammen. Dreyman kommt wieder in die Wohnung, sieht das Licht im Badezimmer, geht ins Wohnzimmer, setzt sich ans Klavier und spielt, versucht in seiner Trauer, seine Gedanken und Gefühle zu ordnen. Christa nimmt ein paar Tabletten »Aponeuron«, wird ruhiger, verläßt das Badezimmer, huscht ins Schlafzimmer und macht die Tür hinter sich zu.

Dreyman läßt den Akkord ausklingen, blickt einen Moment vor sich auf das Klavier, erhebt sich dann mit einiger Entschlossenheit. Er geht zur Schlafzimmertür und öffnet sie. Christa liegt auf der weiter entfernten Seite des Bettes, von ihm abgewandt, zusammengekauert wie ein Embryo. Sie sieht sehr verletzlich und klein aus. Er geht um das Bett herum und setzt sich neben sie. Er will ein Gespräch unter Erwachsenen führen, ihr sachlich etwas Ernstes sagen.

DREYMAN *(fest)* Christa ...

CHRISTA-MARIA *(ohne aufzublicken, flehend)* Halt mich einfach nur fest.

Einen Moment lang tut er gar nichts. Dann erbarmt er

*sich dieser Frau, die er so liebt, weil er spürt, daß sie
seine Liebe braucht wie nie zuvor. Er umarmt sie.*
DREYMAN (*sanft*) Ich bin ja bei dir.

Abhörzentrale, im gleichen Moment

*Wiesler sitzt genauso da wie Dreyman, auf seinem Stuhl,
den er auf genau die Stelle in seinem Kreideschlafzimmer
gestellt hat, wo Dreyman gerade sitzt. Durch das lange Kabel des Kopfhörers ist er wie durch eine Nabelschnur mit
seinem Überwachungspult verbunden. In diesem Moment*

ist er Dreyman und Christa so nahe wie noch nie zuvor.
Genau in dem Augenblick kommt Udo herein.

UDO Guten Abend, Genosse Haupt- ...

Bei dem seltsamen Bild, das sich ihm bietet, erstirbt ihm
der Gruß auf den Lippen: Sein Chef, vornübergebeugt,
mitten im Raum innerhalb der seltsamen Kreidezeich-
nung. Wiesler schreckt auf. Udo kann seine Verwunde-
rung nicht verbergen. Wiesler begegnet seinem fragen-
den Blick mit einer unbewegten Miene, die auch als Vor-
wurf gewertet werden könnte. Ein Blick auf die Uhr
rettet ihn.

WIESLER Sie sind wieder fünf Minuten zu spät.

Udo antwortet nicht. Wiesler nimmt seinen Mantel und
geht.

Berliner Straßen, Nacht

Wieslers kleiner Wartburg fährt einsam durch die großen
leeren Straßen.

Wieslers Wohnhaus, Fahrstuhl, Nacht

Wiesler fährt in seine Etage.

Wieslers Wohnung, Nacht

Wiesler sitzt auf seinem Sofa und hat das Programmheft
mit Christas Foto aufgeschlagen. Er sieht auf die Uhr.
Dann steht er auf, um alles noch ordentlicher zu machen,
als es sowieso schon ist: Der Tisch wird geradegerückt, die
wenigen Bücher aufgestellt und das Fernglas in einer
Schublade nahe dem Fensterbrett verstaut. Schließlich geht
er in sein kleines Badezimmer und macht den Badezim-

merschrank auf. An der Innenseite der Tür ist ein Spiegel.
Er schaut hinein. Er wäscht sich das Gesicht, trocknet es
ab. Schaut wieder hinein. Wäscht es noch einmal. Da klin-
gelt es an der Tür. Wiesler atmet tief durch und geht hin.

WIESLER (*in die Sprechanlage*) Guten Abend. Vierte Etage,
rechter Gang.

FRAUENSTIMME (*durch die Tür*) Ich bin schon oben.

Wiesler macht die Tür auf. Die Prostituierte ist etwa 30
Jahre alt und sieht durch eine Ironie des Schicksals aus
wie eine derbe Karikatur von Christa.

WIESLER Wie sind Sie ins Gebäude gekommen?

PROSTITUIERTE (*klimpert mit dem Schlüsselbund*) Hier
wohnen noch andere Jungs vom MfS.

Sie geht an ihm vorbei in die Wohnung und sieht sich
um.

PROSTITUIERTE Ich glaube, bei dir war ich noch nie.

WIESLER Ich glaube auch nicht.

PROSTITUIERTE Gemütlich hast du's.

Sie legt den Mantel ab und zieht ihren Pullover aus.

PROSTITUIERTE Wie heißt du?

Wiesler reagiert nicht auf die Frage.

PROSTITUIERTE Wie soll ich heißen?

Einige Momente vergehen.

WIESLER Das weiß ich nicht.

PROSTITUIERTE Kannst mich nennen, wie du willst. Beim
letzten Kunden war ich Ute. So kannste mich auch nennen. Ute. Und, wo willst du's machen?

Wiesler zuckt mit den Schultern, will lässig wirken. Ute
zieht sich mit wenigen gekonnten Griffen aus und legt
die Kleider über einen Stuhl. Ihre Brüste sind groß und
bleich. Sie geht auf Wiesler zu.

PROSTITUIERTE Entspann dich mal. Du bist ja ganz ver-
krampft. Hier, das wird dir gefallen.

Sie führt Wiesler an den Händen zu seinem grauen Sofa,
kniet sich vor ihn und zieht ihm seine Hose aus. Dann

drückt sie ihn auf das Sofa hinunter, klettert auf ihn und läßt ihre schweren Brüste in sein Gesicht baumeln. Es wirkt mechanisch. Mit der Sicherheit einer Professionellen geht sie zur Hauptsache über. Dabei ist nur Wieslers Gesicht zu sehen. Er schließt die Augen wie gequält, öffnet sie: Verwirrung, Erstaunen, vielleicht ein kleiner Anflug von Glück, aber keine freie Lust, kein Genuß. Wiesler ist unerfahren; das Ganze ist recht schnell vorbei. Sie bleibt noch einen Moment auf ihm.

PROSTITUIERTE Hat das gutgetan?

Sie will hinuntersteigen.

WIESLER Bleib ... Bleib noch etwas ... bei mir.

PROSTITUIERTE Geht nicht. Habe um halb den nächsten Kunden. Nächstes Mal mußt du länger bestellen. Ich arbeite nach Termin.

WIESLER Halb zwei? Das schaffen Sie sowieso nicht mehr.

PROSTITUIERTE Klar schaffe ich das. Mach dir mal keine Sorgen.

Wiesler nickt. Ute verschwindet im Badezimmer. Wiesler bleibt liegen und starrt zur Badezimmertür, hinter der Geräusche von laufendem Wasser zu hören sind. Nach einigen Momenten kommt sie – immer noch nackt – wieder heraus. Sie zieht sich ihre Kleider an, so sachlich wie nur denkbar. Dann nimmt sie ihre Tasche und geht zur Tür.

PROSTITUIERTE Und nächstes Mal länger buchen. Tschüß.
Wiesler hebt die Hand, und sie verschwindet eilig durch
die Wohnungstür, die sie recht laut ins Schloß fallen
läßt. Wiesler setzt sich auf, zieht die Hose wieder hoch
und bleibt dann wie benommen auf dem Sofa sitzen.
Nach einer Weile erhebt er sich, geht zum Fenster und
sieht hinaus. Er holt aus der Schublade den Feldstecher
hervor und blickt wie gewohnt zum Haus gegenüber.
Plötzlich erschrickt er und setzt den Feldstecher ab, um
ihn gleich wieder an die Augen zu nehmen. In einer der
Wohnungen gegenüber zieht Ute sich gerade bei einem
Kollegen aus. Der Mann im Boxerbademantel geht er-
fahrener zur Sache als Wiesler. Er legt sich selber auf sei-
ner Couch zurecht, damit die Prostituierte ihre Brüste
auf seinem Gesicht schlenkern lassen kann. Wiesler läßt
das Fernglas sinken.

Dreymans Wohnung, Tag

Wiesler betritt vorsichtig und leise Dreymans Wohnung.
Mit neugewonnenem Gefühl geht er durch die Zimmer,
tritt an Dreymans Schreibtisch, streift mit der Hand über
die Schreibsachen, den goldenen Füller und die Bücher, die
Dreyman dort liegen hat (den gelben Brecht-Band und an-
dere). Über die Salatgabel, die immer noch auf dem
Schreibtisch liegt, muß er fast ein bißchen lächeln. Danach
geht er ins Schlafzimmer, bleibt einen Moment vor dem
Bett stehen wie vor einem Kunstwerk, geht dann in die
Knie und nimmt das Laken in die Hand, führt es an seine
Wange. Plötzlich hört er etwas im Treppenhaus. Eine Frau
und einen Mann. Sollten Christa und Dreyman wider Er-
warten schon zurück sein? Er stellt sich hinter die Tür in
der Garderobe. Die Stimmen werden lauter, entfernen sich
aber dann weiter nach oben. Wiesler ist beruhigt. Er

*lauscht. Als sie nicht mehr zu hören sind, schlüpft er aus
der Wohnung und zieht die Tür leise hinter sich zu. Er ist
gerade die ersten Stufen hinuntergegangen, da kommt
plötzlich Frau Meineke aus ihrer Tür. Sie hält den Topf mit
ihrem großen Kaktus in beiden Händen. Sie geht auf Wiesler zu und streckt ihn ihm entgegen.*

FRAU MEINEKE Bitte, nehmen Sie ihn zurück. Ich kann damit nicht leben.

*Wiesler blickt sie so streng an, daß sie den Blumentopf
vor Aufregung fallen läßt. Er zerspringt, und auch der
Kaktus bricht entzwei. Frau Meineke ist entsetzt.*

WIESLER (*kalt*) Jetzt müssen Sie es auch nicht mehr.

Er geht die Treppe hinunter.

Dreymans Wohnung, Nacht

*Dreyman sitzt am Schreibtisch und schreibt. Er ist in seiner
eigenen Welt.*

Abhörzentrale, zur gleichen Zeit

*Udo hat die Beine wieder hochgelegt und hört zu. Er ißt
dabei einen Joghurt.*

Dreymans Wohnung

*Christa kommt zur Wohnungstür hinein. Sie geht in Drey-
mans Arbeitszimmer, küßt ihn. Er läßt sich gern ablenken.*

Abhörzentrale

Udo stellt den Joghurt beiseite und tippt mit zwei Fingern:
»00:27 CMS kommt nach Hause.«
CHRISTA-MARIA (*über Udos Kopfhörer*) Hast du schon gehört, wegen Hauser?
DREYMAN (*über Udos Kopfhörer*) Was?

Dreymans Wohnung

*Christa hängt ihren Mantel auf, einen sehr schönen hell-
braunen Wildledermantel mit Fuchspelzsaum.*
CHRISTA-MARIA Seine Vortragsreise in den Westen fällt
flach. Er kriegt keinen Reisepaß.
Dreyman ist immer noch beleidigt wegen Hauser.
DREYMAN Wundert dich das? Wenn er sich so arrogant
verhält, dann muß er mit so etwas rechnen. Würdest du
den ausreisen lassen, an deren Stelle?

Abhörzentrale

*Im Bericht steht bereits: »›Lazlo‹ befürwortet Ausreisever-
bot«. Udo tippt den Satz zu Ende: »für Hauser.«*

Dreymans Wohnung

Christa ist in der Küche und kocht sich Tee.
DREYMAN (*ruft hinüber*) Christa, hast du eigentlich mei-
nen gelben Brecht-Band gesehen?
CHRISTA-MARIA (*hält inne*) Wie?
DREYMAN Den Brecht-Band?

Abhörzentrale

Udo hört mit, die Füße immer noch hochgelegt.
CHRISTA-MARIA *(über Udos Kopfhörer)* Ich weiß nicht,
wo der ist.
DREYMAN *(über Udos Kopfhörer; zu sich)* Komisch, ich
hätte schwören können ...

Wieslers Wohnung, zur gleichen Zeit

*Wiesler sitzt, die Beine ebenfalls hochgelegt, auf seinem
Sofa, den gelben Brecht-Band in den Händen. Er sieht froh
und interessiert aus. Beim Lesen der Texte stellt er sich
Dreymans Stimme vor.*
DREYMAN *(voice-over)*
  An jenem Tag im blauen Mond September
  Still unter einem jungen Pflaumenbaum
  Da hielt ich sie, die stille bleiche Liebe
  In meinem Arm wie einen holden Traum.
  Und über uns im schönen Sommerhimmel
  War eine Wolke, die ich lange sah
  Sie war sehr weiß und ungeheuer oben
  Und als ich aufsah, war sie nimmer da.

Dreymans Wohnung, Morgen

*Dreyman und Christa liegen im Bett und schlafen. Das Te-
lefon klingelt. Erst nach einigem Klingeln steht Dreyman
auf und geht schlaftrunken ins Klavierzimmer zum Telefon.*

Abhörzentrale, zur gleichen Zeit

*Wiesler schläft nicht. Er nimmt den Telefonhörer ab und
drückt auf den Knopf, der ihm erlaubt, durch den Hörer
auf Dreymans Leitung das Gespräch mitzuhören.*
WALLNER (*über den Telefonhörer*) Georg, hier Wallner.
DREYMAN (*über den Telefonhörer*) Was steht an?
WALLNER (*über den Telefonhörer*) Georg, es geht um
  Jerska. Er ist tot. Er hat sich gestern abend erhängt.
  Schweigen.

Dreymans Wohnung

*Dreyman steht noch an derselben Stelle, unbeweglich. Es
vergehen einige Momente.*
DREYMAN ... ich lege jetzt auf.
  *Er tut es, bleibt aber noch stehen. Dann geht er zum
  Klavier, setzt sich auf den Hocker und sucht unter den
  Noten die Partitur heraus, die Jerska ihm zum Geburts-
  tag geschenkt hat, »Die Sonate vom Guten Menschen«.
  Er beginnt sie zu spielen, in ihrer vollen Schönheit und
  Melancholie. Christa kommt aus dem Schlafzimmer. Sie
  merkt seine Erschütterung, stellt sich neben ihn, ohne zu
  fragen, und hört seinem Spiel zu.*

Abhörzentrale, zur gleichen Zeit

*Die Kamera fährt langsam in einem Halbkreis um Wiesler
herum, der vor den vielen feindlichen Gerätschaften sitzt.
Sein Gesicht ist nicht zu sehen, nur sein Rücken und sein
Hinterkopf mit dem Kopfhörer, durch den die Musik
klingt.*

Dreymans Wohnung

Die Kamerafahrt wird um Dreyman und Christa herum fortgesetzt. Dreyman spielt zu Ende, läßt den letzten Ton lange verhallen.

DREYMAN Ich muß immer daran denken, was Lenin von der Appassionata gesagt hat: »Ich kann sie nicht hören, sonst bringe ich die Revolution nicht zu Ende.«
Er blickt Christa an.

DREYMAN Kann jemand, der diese Musik gehört hat, wirklich gehört hat, noch ein schlechter Mensch sein?

Abhörzentrale, zur gleichen Zeit

Wiesler von vorne. Auf seinem Gesicht liegt ein vorher noch nie gesehener Ausdruck.

Vor Wieslers Wohnhaus, Abend

Wiesler geht wieder durch den trostlosen Vorhof zu seinem stolzen Plattenbau.

Wieslers Wohnhaus

Er wartet auf den Fahrstuhl in dem noch tristeren Vorraum.

Wieslers Wohnhaus, Fahrstuhl

Als Wiesler in den Fahrstuhl steigt, rollt ihm ein Ball hinterher. Ein kleiner Junge von vielleicht sechs Jahren holt ihn sich und ist, als die Tür zugeht, plötzlich im Fahrstuhl gefangen. Er starrt Wiesler an.

JUNGE Bist du wirklich bei der Stasi?

Wiesler mustert den Jungen.

WIESLER Weißt du überhaupt, was das ist, die Stasi?

JUNGE Das sind schlimme Männer, die andere einsperren, sagt mein Papi.

WIESLER So? Wie heißt denn dein ...

Wiesler hält inne. Anstand? Menschlichkeit?

JUNGE Mein was?

WIESLER ... Ball.

Der kleine Junge versteht nicht.

WIESLER Wie heißt denn dein Ball?

JUNGE (*über das ganze Gesicht grinsend*) Du bist aber lustig. Ein Ball hat doch keinen Namen.

Sie sind auf Wieslers Etage angekommen. Wiesler tritt hinaus, dreht sich aber noch einmal um. Der Junge sieht in dem großen, neonbeleuchteten Fahrstuhl wie ein kleiner, zarter Außerirdischer aus. Er sieht Wiesler an und Wiesler ihn.

JUNGE Du bist aber kein schlimmer Mann.

Die Fahrstuhltür geht langsam zu.

Berliner Straße, Morgen

Oberstleutnant Grubitz geht rauchend die Straße entlang und liest dabei seine Morgenzeitung. Die Limousine von Hempf fährt neben ihm vor. Die Tür geht auf.

HEMPF (*herrscht ihn an*) Steigen Sie ein!

Grubitz gehorcht, schnippt seine frisch angezündete Zigarette schweren Herzens auf die Straße.

Ministeriallimousine

Der Minister sitzt ihm regungslos gegenüber.

HEMPF Wie läuft der Vorgang?

OBERSTLEUTNANT GRUBITZ Bislang sind leider noch keine Entwicklungen zu verzeichnen.

HEMPF (*wütend*) Wie kann es sein, daß das so lange dauert?!

OBERSTLEUTNANT GRUBITZ Wir können ihn doch nicht dafür verknacken, daß er eine Westzeitung liest.

HEMPF Ich will, daß seine Wohnung verwanzt wird. Richtiger OV! Aufklärung! Verstehen Sie?

OBERSTLEUTNANT GRUBITZ Das ist alles geschehen, Genosse Minister. Die allerneueste operative Technik, unter jedem einzelnen Lichtschalter, sogar im Klo. Eingangsbereich mit Maßnahme C. Es kann uns nichts entgehen.

HEMPF Sie haben gesagt, daß Sie etwas finden würden.
Finden Sie etwas. Ich will meinem schlimmsten Feind
nicht geraten haben, mich zu enttäuschen. Und jetzt ver-
schwinden Sie.

Der Wagen hält. Grubitz steigt aus, ist etwas zittrig. Der
Wagen fährt weiter.

HEMPF Nowack. Sie werden jetzt Christa-Maria überwachen. Über jede Minute, die sie nicht mit mir ist, werden
Sie mir berichten. Verstanden?

Normannenstraße, Kantine, Morgen

Wiesler steht mit Grubitz in der Kantine und läßt sich das
Frühstück geben.

OBERSTLEUTNANT GRUBITZ Aber heute gehen wir an den
Stabstisch.

Wiesler geht mit ihm. Sie setzen sich.

OBERSTLEUTNANT GRUBITZ Na, wie läuft der Vorgang?

WIESLER Viel tut sich nicht. Aber es ist noch zu früh, das
beurteilen zu können.

OBERSTLEUTNANT GRUBITZ Wir haben Hauser die Ausrei-
segenehmigung für die Konferenz zum Kulturabkom-
men nicht gewährt. Vielleicht bringt das etwas ins Rollen. Die beiden sind ja sehr eng ...

Grubitz lehnt sich nach vorne und kommt zu dem, was
er eigentlich wissen will.

OBERSTLEUTNANT GRUBITZ Und, wie läuft's zwischen
CMS und dem Minister?

WIESLER Sie sind heute abend verabredet, wenn ich den
Rhythmus richtig verstehe.

OBERSTLEUTNANT GRUBITZ Das ist gut, gut. Wir beide haben an dieser Liebesgeschichte viel zu gewinnen ... oder
zu verlieren. Vergiß das nicht.

Er dreht sich schnell zu einem der Mitarbeitertische um,

wo einige Männer böse zu ihnen herüberlugen, aber gleich wieder wegblicken. Es ist dieselbe Gruppe, in der vor einigen Tagen die Witze erzählt wurden. Nur Unterleutnant Axel Stigler fehlt.

OBERSTLEUTNANT GRUBITZ (*amüsiert*) Schau sie dir an. Die wissen es, was? In diesem Ministerium kann man auch nichts geheimhalten.

WIESLER Was wissen sie?

OBERSTLEUTNANT GRUBITZ Na, daß ich die Zwangsversetzung ihres Witzerzählers befohlen habe.

WIESLER Stigler?

Grubitz blickt Wiesler ins Gesicht, lächelt selbstzufrieden und hebt die Brauen.

Dreymans Wohnung, Abend

Dreyman sitzt an seinem Schreibtisch. Er hält zwar den Stift in der Hand, hat jedoch nicht die Absicht zu schreiben. Er denkt. Er denkt auf eine Weise nach, wie er es im Laufe der Handlung noch nicht getan hat. Im Hintergrund sitzt Christa mit angezogenen Beinen auf dem Sofa und liest. Dann blickt sie auf die Uhr und will aufstehen. Dreyman hat sie aus dem Augenwinkel genauer beobachtet, als sie glaubt.

DREYMAN Früher hatte ich immer nur vor zwei Sachen Angst: vor dem Alleinsein und vor dem Nicht-schreiben-Können. Seit Alberts Tod ist mir das Schreiben egal und andere Menschen auch. Jetzt habe ich nur noch Angst, ohne dich zu sein.

Christa erhebt sich, streicht im Vorbeigehen Dreyman über den Kopf.

CHRISTA-MARIA (*versucht scherzhaft zu klingen*) Heute abend darfst du dich aber nicht fürchten. Ich gehe nämlich nur für ein paar Stunden weg.

Sie zieht ihren Mantel an.

DREYMAN (*ganz ernst, ohne sich zu rühren*) Wohin.
Sie zieht sich weiter an.
CHRISTA-MARIA Ich treffe mich mit einer Klassenkamera-
din, die gerade in der Stadt ist. Sie ...
DREYMAN Wirklich, Christa?
Sie blickt ihn entsetzt an.
DREYMAN (*still*) Wirklich?
CHRISTA-MARIA Was fällt dir ein?!
DREYMAN Ich weiß es, Christa. Ich weiß, wo du hingehen
willst. Und ich bitte dich: Geh nicht. Du brauchst ihn
nicht, Christa! Du brauchst ihn nicht!
*Christa steht da wie ein verzweifeltes Kind. Dreyman
steht auf und geht auf sie zu.*
DREYMAN (*sanft, aber entschieden*) Ich weiß auch von den
Medikamenten und wie wenig du deiner Kunst traust.
Dann vertraue wenigstens mir. Christa-Maria!
Er legt ihr die Hände auf die Schultern.
DREYMAN Du bist eine große Künstlerin. Ich weiß es. Und
dein Publikum weiß es auch. (*drängend*) Du brauchst
ihn nicht! Du brauchst ihn nicht. Bleib hier. Geh nicht
zu ihm.
Langsam taucht Christa aus dem Entsetzen auf.
CHRISTA-MARIA Nein? ... Brauche ich ihn nicht? Brauche
ich dieses ganze System nicht? Und du? Du brauchst es
dann ja auch nicht? Oder erst recht nicht? Aber du legst
dich doch genauso mit denen ins Bett? Warum tust du es
denn? Weil sie dich genauso zerstören können, trotz dei-
nes Talentes, an dem du noch nicht einmal zweifelst.
Weil sie bestimmen, wer gespielt wird, wer spielen darf
und wer inszeniert. Du willst nicht enden wie Jerska.
Und ich will es auch nicht! Und deshalb gehe ich jetzt.
*Sie beginnt kurz zu weinen, bringt sich aber dazu, gleich
wieder damit aufzuhören. Sie legt ihren Schal um,
nimmt ihre Handschuhe.*
DREYMAN Du hast in so vielem recht. Und ich will so viel

anders machen. Aber ich bitte dich, ich flehe dich an ...
geh nicht.
Christa steht da, zögert.

Abhörzentrale, zur gleichen Zeit (genau 23 Uhr)

UDO Na, Chef, bin ich pünktlich?
*Wiesler zuckt richtig zusammen. Er versucht Udo zu
ignorieren und behält den Kopfhörer auf.*
UDO Lassen Sie mich raten, was die gerade machen.
*Er macht eine obszöne Bewegung, die erklärt, woran er
denkt. Dann tritt er an Wiesler heran.*
UDO Kommen Sie. Ich übernehme schon. Ick kann ja
nicht verantworten, daß Sie wegen mich Überstunden
machen. Na, gebense schon her.
*Er hat keine Ahnung, welche Überwindung es Wiesler
kostet, ihm den Kopfhörer zu geben. Udo setzt ihn sich
auf und lauscht interessiert.*
UDO *(spricht mit)* »Geh nicht durch diese Tür.« *(zu Wies-
ler)* Wo will sie denn hin?
*Er hebt eine der Ohrmuscheln hoch, um Wieslers Ant-
wort hören zu können.*
WIESLER Treffen mit einer alten Klassenkameradin.
*Udo macht eine Geste, als habe er verstanden. Aber sehr
viel kann ihm nicht klargeworden sein. Ohne großes
Interesse hört er zu. Dann sieht er, daß Wiesler immer
noch in seinem Mantel dasteht.*
UDO Ja, gehense schon! Detaillierten Bericht können Sie
morgen lesen. Ick krieg det hin! Gute Nacht!
Wiesler verläßt den Raum.

Dreymans Wohnhaus, Treppenhaus

*Wiesler ist so mitgenommen, daß er sich einen Moment an
die Wand lehnt. Dann geht er die Treppe hinunter.*

Innenhof von Dreymans Haus

*Wiesler schleicht durch den Hof und um die Ecke. Er ver-
steckt sich auf der anderen Straßenseite hinter einer Litfaß-
säule, beobachtet das Haus und wartet, um zu erfahren, ob
Christa herauskommt oder nicht. Die Frage läßt ihm keine
Ruhe. Als ein Spaziergänger vorbeigeht und ihn etwas
schief ansieht, erkennt er, daß es zu riskant ist, dort stehen-
zubleiben. Er geht die Straße weiter, sich immer wieder um-
sehend, bis er an eine Bar kommt. Ein Betrunkener, der
eben die Bar verläßt, blickt ihn aggressiv an.*

BETRUNKENER Wat glotztn so?

*Um sich nicht noch verdächtiger zu machen, geht Wies-
ler an dem Mann vorbei und tritt ein.*

Bar

*Die »Bar« ist ein einziger großer, mit häßlichem Holzimi-
tat getäfelter Raum mit Linoleumboden. Sie ist schlecht
besucht. An nur zwei der zehn Tische sitzen Menschen.
Und die starren schweigend vor sich hin. Leise, nichtssa-
gende Musik, das musikalische Äquivalent des abgestande-
nen Zigarettenrauchs, erfüllt den Raum. Wiesler läßt sich
an einem Ecktisch nieder, so weit weg wie möglich von den
beiden besetzten Tischen. Nach kurzer Zeit stellt sich der
Kellner mit trübem Blick neben ihn.*

WIESLER Ein Glas Wasser … nein, Wodka, doppelt.

Der Kellner verschwindet und kommt sehr bald mit ei-

nem Wasserglas zurück, das etwa zur Hälfte mit Wodka
gefüllt ist. Wiesler nimmt einen großen Schluck, dann
noch einen. Schnell ist das Glas leer. Er sieht sich die
beiden anderen Gäste an: kaputte Trinkerexistenzen.

WIESLER (sein Glas Richtung Kellner erhebend) Noch mal
das gleiche.

Der Kellner kommt mit der Flasche zum Tisch und gießt
nach, diesmal noch großzügiger. Plötzlich hört man die
Tür aufgehen und einen weiteren Gast hereinkommen.

CHRISTA-MARIA (off-screen) Kellner! Bringen Sie mir einen
Cognac!

Wiesler kann es nicht fassen. Vorsichtig, langsam blickt
er sich um. Es ist tatsächlich Christa. Sie hat sich zwar
einen Seidenschal über Haare und Kinn gebunden und
trägt nach West-Art eine Sonnenbrille, aber Wiesler erkennt sie trotzdem sofort. Sie blättert ein bißchen in der
kümmerlichen Speisekarte, schaut nervös auf.

CHRISTA-MARIA Kellner! Meinen Cognac!

Der Kellner bringt ihn, und sie schluckt ihn mit Mühe,
aber begierig hinunter. Sie schafft es, ihr Husten zu
unterdrücken, stützt dann ihre Ellbogen auf den Tisch,
legt ihr Gesicht in die Hände und schluchzt ebenso lautlos. An einem Ort wie diesem nimmt von Leid niemand
Notiz. Deshalb ist sie hier. Wiesler beobachtet sie vor-

*sichtig von seinem Tisch aus. Dann nimmt er noch einen
tiefen Schluck aus seinem Glas und entschließt sich: Er
geht zu ihr hinüber, nicht mehr ganz sicher auf den Beinen. Er muß sich an einem Tisch abstützen, was sie be-
merkt.*

WIESLER (*leicht lallend*) Gnädige Frau?

CHRISTA-MARIA (*ohne aufzuschauen*) Bitte lassen Sie mich
in Ruhe. Ich möchte alleine sein.

WIESLER Frau Sieland.

Christa sieht automatisch auf.

CHRISTA-MARIA Kennen wir uns?

WIESLER Sie kennen mich nicht. Aber ich kenne Sie …

*Er hat ihre Aufmerksamkeit. Leicht taumelnd setzt er
sich zu ihr.*

WIESLER Viele Menschen lieben Sie … nur weil Sie sind,
wie Sie sind.

CHRISTA-MARIA Ein Schauspieler ist nie so, wie er ist.

WIESLER Sie doch.

Sie blickt ihn an, fragend.

WIESLER Ich habe Sie auf der Bühne gesehen. Sie waren da
mehr so, wie Sie sind, als … als Sie es jetzt sind.

*Christa lächelt über die unbeholfene Formulierung und
über den Inhalt, der ihr Freude macht.*

CHRISTA-MARIA (*lächelnd, um Ironie bemüht*) Sie wissen,
wie ich bin?

WIESLER Ich bin doch Ihr Publikum.

*Christa blickt ihn einen Moment an. Dann macht sie
sich hastig zum Gehen bereit.*

CHRISTA-MARIA Ich muß gehen.

WIESLER Wohin gehen Sie?

CHRISTA-MARIA Ich treffe eine alte Schulfreundin; ich …

WIESLER Sehen Sie, da waren Sie gerade gar nicht Sie
selbst.

CHRISTA-MARIA Nein?

WIESLER Nein.

*Christa zögert kurz. Dann legt sie ihr Portemonnaie
wieder hin und nimmt ihre Sonnenbrille ab. Zum ersten
Mal sieht Wiesler sie von Angesicht zu Angesicht. Sie ist
wunderschön.*

CHRISTA-MARIA Sie kennen sie also gut, diese Christa-Maria Sieland. Was meinen Sie, würde sie einen Menschen
verletzen, der sie über alles liebt? Würde sie sich verkaufen, für die Kunst?

WIESLER Verkaufen? Für die Kunst? Die hat sie doch
schon. Das wäre ein schlechtes Geschäft. Sie sind eine
große Künstlerin. Wissen Sie das denn nicht?

*Christa schaut ihn lange nachdenklich an. Vieles von
dem Kummer verschwindet aus ihrem Gesicht. Sie legt
ein paar Münzen auf den Tisch, steht auf.*

CHRISTA-MARIA Und Sie sind ein guter Mensch.

*Sie verläßt die Bar, und als die Tür zufällt, kann man
schon kaum mehr glauben, daß sie je darin gewesen ist.
Wiesler bleibt zurück.*

Abhörzentrale, Tag

*Lautlos, so daß er den schlafenden Udo nicht weckt, zieht
Wiesler den Bericht der Nachtschicht aus der Schreibma-*

*schine und liest. In der anderen Hand hält er eine Tasse
Kaffee.*

UDO (*voice-over*) »Bei meiner Übernahme streiten ›Lazlo‹
und CMS darüber, ob CMS zu dem Treffen mit der
Klassenkameradin (?) gehen soll. Schließlich geht sie.
›Lazlo‹ scheint hierüber unglücklich.«

Dreymans Wohnung, vorhergehende Nacht
(Rückblende/Wieslers Vorstellung)

UDO (*voice-over*) »Nach etwa 20 Minuten (etwa 23:30)
kehrt CMS aber schon zu ›Lazlo‹ zurück, zu seiner und
meiner Überraschung.«
*Wiesler stellt sich die Szene genau vor. Die Bilder sind
ohne Ton zu sehen.*

UDO (*voice-over*) »Er scheint hierüber sehr glücklich. Heftige Intimitäten folgen. Sie sagt, sie wird jetzt nie mehr
weggehen. Er sagt wiederholte Male: ›Jetzt werde ich
die Kraft haben. Ich werde etwas tun.‹«
*Ihre Münder lösen sich gerade lange genug voneinander,
um sich diese Versprechungen zu machen. Ohne Ton.*

UDO (*voice-over*) »Hiermit ist vmtl. gemeint, daß er ein
neues Theaterstück schreiben wird. Die Stückeproduk-

tion von ›Lazlo‹ war nämlich über die letzten Wochen von Schwierigkeiten geplagt. Was sie mit ihren Äußerungen meint, ist unklar: vielleicht, daß sie sich mehr um ›Lazlos‹ Haushalt kümmern will als zuvor.«

Christa liegt in Dreymans Armen im Bett. Vielleicht zum ersten Mal sind sie ganz entspannt und glücklich miteinander.

UDO (*voice-over*) »Der Rest der Nacht verläuft friedlich.«

Abhörzentrale

Erst jetzt wacht Udo auf. Wiesler legt den Bericht weg.

UDO (*besorgt, daß er wegen des Einschlafens Ärger bekommt*) Genosse Hauptmann … das war nur weil … er schläft auch noch … er …

WIESLER Guter Bericht.

Udo ist so verdutzt über das Lob, daß er fast vom Stuhl fällt.

UDO Ehrlich, jetzt?

Wiesler muß fast lächeln.

Friedhof, Tag

Es regnet. Die Luft ist grau und neblig. Der Friedhof in einem Vorort von Berlin, auf dem Jerska beigesetzt wird, ist von erdrückender Trübsinnigkeit. Direkt daneben steht ein schäbiger Plattenbau, in der Entfernung einige alte, heruntergewirtschaftete Großbauten der Sechziger.

Es sind ungefähr 50 Freunde gekommen, in Schwarz gekleidet, alle sehr niedergeschlagen. Jerskas Sarg wird von den Trägern auf Holzbohlen gestellt, die über der ausgehobenen Grube liegen. Die Männer rollen Tragegurte aus, ziehen sie unter dem Sarg hindurch und legen sie sich über

die Schultern. Einer entfernt die Bohlen, während die anderen den Sarg mit dem Gurt halten. Sie lassen ihn langsam in die Erde. Wortlos tritt jeder ans Grab und wirft einen kleinen Handspaten Erde hinab. Diejenigen, die schon Abschied genommen haben, stehen da und schauen den anderen zu. Dreyman stellt sich neben Hauser. Der grüßt traurig, indem er die Brauen hebt. Einen Moment stehen sie schweigend nebeneinander.

DREYMAN Ich wußte nicht, daß es so schlimm um ihn steht.

HAUSER Ich ja auch nicht, Georg.

Diese Antwort hat Dreyman nicht erwartet.

DREYMAN Ich hätte etwas tun sollen.

HAUSER Du könntest immer noch etwas tun.

Dieser Satz hat einen Samen in Dreymans Herz gelegt. Während er zusieht, wie die Freunde das alte Ritual am Grab vollziehen, reift er in ihm zu einem Text, den seine Stimme im Geist spricht.

DREYMAN »Von einem, der rübermachte: Die Staatliche Zentralverwaltung für Statistik in der Hans-Beimler-Straße zählt alles, weiß alles. Wie viele Schuhe ich pro Jahr kaufe (2,3), wie viele Bücher ich im Jahr lese (3,2) und wie viele Schüler jedes Jahr mit 1,0 ihr Abitur machen (6347). Aber eine zählbare Sache wird dort nicht

erfaßt, vielleicht, weil solche Zahlen selbst Bürokraten
wehtun, und das ist der Freitod. Sollten Sie in der Beim-
lerstraße anrufen und fragen, wie viele Menschen die
Verzweiflung zwischen Elbe und Oder, zwischen Ostsee
und dem Erzgebirge in den Tod getrieben hat, dann
schweigt unser Zahlenorakel und notiert sich vermutlich genau Ihren Namen – für die Staatssicherheit, jene
grauen Herren, die für Sicherheit sorgen in unserem
Land, und für Glück. 1977 hörte unser Land auf,
Selbstmörder zu zählen. Selbstmörder, so nannten sie
sie. Dabei hat diese Tat mit Mord doch gar nichts zu
tun; sie kennt keinen Blutrausch, sie kennt keine Leidenschaft, sie kennt nur das Sterben, das Sterben der Hoffnung. Als wir vor neun Jahren aufhörten, zu zählen, gab
es nur ein Land in Europa, das mehr Menschen in den
Freitod trieb (Ungarn). Danach kamen gleich wir, danach kam das Land des real existierenden Sozialismus.
Einer dieser Ungezählten ist Albert Jerska, der große
Regisseur. Er erhängte sich am 4. Dezember. Von ihm
will ich heute erzählen ...«

Hausers Wohnhaus, Tag

*Dreyman klingelt bei Hauser. Die Stimme in seiner Vorstel-
lung klingt aus, als Hauser die Tür aufmacht und gar nicht
besonders erstaunt ist, Dreyman zu sehen. Er lächelt und
zieht ihn mit dem Handschlag hinein.*

DREYMAN (*kommt gleich zur Sache*) Ich habe versucht,
Statistiken zu bekommen, die ...

HAUSER (*fällt ihm ins Wort*) ... die zeigen, wieviel erfolg-
reicher unsere Staatsicherheit arbeitet, als wir so allge-
mein glauben.

*Er geht zu seinem Plattenspieler und setzt die Nadel auf
eine Platte, die schon bereitliegt. Frank Schöbels » Wie*

*ein Stern« erklingt. Hauser dreht die Musik sehr laut auf
und führt Dreyman in die Mitte des Raumes.*

HAUSER (*Dreyman ins Ohr rufend*) Und ich Idiot hab' den
Vortrag für drüben hier geprobt!

*Er deutet vielsagend auf verschiedene Punkte im Raum,
an denen Wanzen sein könnten, und zeigt auf sein Ohr.*

HAUSER Seitdem bin ich sehr musikalisch geworden.

Dreyman lächelt.

DREYMAN Wir können uns auch bei mir treffen.

*Hauser schüttelt den Kopf. Er nimmt ein Blatt Papier
und schreibt etwas darauf. Er hält es hoch, so daß Dreyman es lesen kann: »15:00 Bootssteg am Teufelsee«.*

Teufelssee, Tag

*Mitten auf dem See sitzen Dreyman, Hauser und Wallner
in einem Ruderboot. Es liegt auf der einen Seite, auf der
der dicke Wallner sitzt, etwas tiefer im Wasser. Dafür ru-
dert Wallner aber auch. Sie sind weit und breit die einzigen,
denn es ist ein kalter, feuchter und überhaupt unerfreu-
licher Tag. Schöbels herrlicher Schlager klingt aus.*

DREYMAN (*spöttisch*) Hier sicher genug?

*Hauser lächelt Dreyman ein bißchen herablassend an.
Das Lächeln besagt: »Du hast doch keine Ahnung.«
Dann deutet er auf den Waldrand in einiger Entfernung.
Dort versucht Andi gerade, ihnen unauffällig hinter-
herzuwandern. Doch die schlanken Bäume verstecken
ihn weniger gut, als er glaubt.*

HAUSER Mein eigener kleiner Leibwächter. Ich nenne ihn
Rolf – wahrscheinlich heißt er auch so.

*Auf einmal merkt Andi, daß die drei Freunde ihn an-
schauen und genau wissen, wer er ist. Sein Job macht
wahrscheinlich auch keinen großen Spaß. Dreyman
schenkt Hauser ein bewunderndes Lächeln: Hausers
Leben sieht wirklich anders aus als sein eigenes.*

HAUSER Also, schieß los!

*Dreyman reicht ihm den Text »Von einem, der rüber-
machte«. Hauser liest, und schnell verschwindet der
spöttische Ausdruck von seinem Gesicht. Er ist beeindruckt, wie Dreyman zu seiner großen Zufriedenheit
feststellt. Als er fertiggelesen hat, reicht er ihn an Wallner weiter, der die Ruder schweigend beiseite legt. Das
Boot gleitet lautlos durchs Wasser.*

HAUSER Das willst du veröffentlichen?

DREYMAN Im Westen ... mit deiner Hilfe.

Hauser schaut skeptisch.

DREYMAN Wirst du mir helfen?

Hauser überlegt.

HAUSER Hast du Christa davon erzählt?

*Hauser wendet sich kurz zu Wallner um und tauscht mit
ihm einen Blick, der Dreyman zeigen soll, daß selbst der
sanfte Wallner in Sachen Christa Hausers Meinung ist.*

DREYMAN (*kampfbereit*) Nein.

HAUSER Gut, ich helfe dir. Unter der Bedingung, daß du es
weiterhin vor ihr geheimhältst.

DREYMAN Was?

WALLNER (*versöhnlich*) Georg, es ist doch auch, um sie zu
schützen.

*Nach kurzem Überlegen nickt Dreyman zum Zeichen
des Einverständnisses.*

HAUSER Das wäre was für den »SPIEGEL«. Mit einem der
Redakteure bin ich ganz gut befreundet, Gregor Hessenstein. Kennst du ihn?

DREYMAN Nicht persönlich.

HAUSER Du mußt ihn treffen. Aber unter deinem Namen
veröffentlichen – das kommt nicht in Frage.

Dreyman will widersprechen.

HAUSER (*bitter*) ... es sei denn, dich reizt die rein sport-
liche Herausforderung eines 48-Stunden-Verhörs. (*ern-
ster*) Es sei denn, du willst Wochen oder Monate in einer

winzigen Zelle sitzen, ohne Buch, ohne Stift, dir durch
ein Guckloch zuschauen lassen beim Scheißen und beim
Onanieren ... so vereinsamen, daß du dich freust, wenn
dein Vernehmer dich zur Befragung ruft, weil du wenigstens eine andere Stimme hörst als deine eigene ...
Schweigen. Was soll man darauf sagen? Hauser senkt
den Kopf. Dreyman sieht ihn an. Auf einmal beginnt es
ziemlich heftig zu regnen. Der Regen wird immer stärker.

DREYMAN Doch zu mir?

Hauser blickt irritiert.

DREYMAN Bei mir ist keine Staatssicherheit!

Hauser blickt immer noch skeptisch.

DREYMAN Nationalpreisträger, wenn ich daran erinnern
darf.

HAUSER Zweiter Klasse, wenn ich daran erinnern darf.

DREYMAN Und persönlicher Freund von Margot Honecker. Meine Wohnung ist sauber. Ich sag's dir.

WALLNER Wenn man nur irgendwie sicher sein könnte!

HAUSER Ich hätte schon eine Idee, wie wir deine Wohnung
überprüfen könnten.

Dreyman und Wallner schauen ihn erwartungsvoll an.
Hauser lächelt vielsagend.

HAUSER Ihr kennt doch meinen Onkel Frank, der uns jeden Samstag aus West-Berlin besuchen kommt, mit seinem dicken goldenen Mercedes ...

Dreymans Wohnung, Tag

Die letzten Takte von » Wie weit ist es bis ans Ende dieser
Welt« laufen auf Dreymans Plattenspieler. Dann macht ein
Blick zwischen den Männern klar: Es kann losgehen.
Hausers Onkel, ein Mittsechziger, Typ rheinischer Sauna-
gänger (der in der Sauna auch noch Witze erzählt), sitzt mit
Wallner auf Dreymans Sofa. Dreyman selber sitzt ihnen

auf einem Sessel gegenüber. Er öffnet gekonnt drei Fla-
schen Berliner Pilsner und reicht sie den Freunden.

DREYMAN Also, Herr Hauser, mir erscheint das doch
ziemlich riskant.

WALLNER Da muß ich Georg recht geben. Die Rücksitze
ausbauen und Ihren Neffen darunter verstecken ... ich
weiß nicht ... ich weiß wirklich nicht.

Dieser letzte Satz ist Dreyman etwas zuviel: Er macht
beschwichtigende Handbewegungen wie ein Regisseur
für einen Schauspieler, der überspielt.

HAUSERS ONKEL (*mit viel Spaß*) Jungens, glaubt mir: Die
schauen nie darunter. Ich fahre doch nun wirklich jede
Woche. Ein bißchen mit dem Spiegel unter die Achsen,
ein bißchen rumklopfen auf dem Auspuff, und Brumm!
ich bin drüben und Paul auch. Das sind nicht die Hell-
sten an der Grenze. Ihr stellt euch das falsch vor.

Abhörzentrale

Wiesler sitzt mit dem Kopfhörer auf dem Kopf an der
Schreibmaschine. Er hat gerade getippt: »13:45 ›Lazlo‹ be-
tritt mit Karl Wallner und einem Besucher aus dem NSW die
Wohnung.« *Jetzt sitzt er still da, mit sich weitenden Augen.*

DREYMAN (*über Wieslers Kopfhörer*) An welchem Grenzübergang fahren Sie noch einmal hinaus?

HAUSERS ONKEL (*über Wieslers Kopfhörer*) Henry-Heine-
Straße. Immer Henry-Heine-Straße. Die kennen mich
dort, die Jungens. Mich und meinen goldenen Benz. Ich
bin mit den Grenzern richtig befreundet. Nein, eigentlich ist es fast schon Liebe.

Dreyman und Wallner lachen ein bißchen.

HAUSERS ONKEL (*über Wieslers Kopfhörer*) Ihr werdet sehen: In zwei Stunden rufe ich an, mit einer Flasche
Schultheiss in der Hand, und gebe euch die frohe Bot-
schaft: Paul ist drüben.

Wiesler steht unwillkürlich schnell von seinem Stuhl auf und zieht entsetzt den Kopfhörer von den Ohren.

WIESLER *(zu sich)* Nein!

Er atmet schwer, denkt nach. Aus dem Kopfhörer kommen die Stimmen jetzt leiser.

DREYMAN *(über Wieslers Kopfhörer)* Und was ist mit Pauls Stasi-Mann?

WALLNER *(über Wieslers Kopfhörer)* Rolf.

HAUSERS ONKEL *(über Wieslers Kopfhörer)* Ja, Rolfeken glaubt, daß Paulchen zu Hause ist. Und jetzt muß ich auch gleich los, sonst erstickt der mir im Auto, und das wäre richtig schade.

Wiesler läuft auf dem Dachboden auf und ab wie ein gefangener Tiger. Er reibt sich das Gesicht. In heftiger Erregung tritt er wieder an den Tisch und nimmt ein kleines Heft zur Hand, das »Telefonverzeichnis des MfS«. Er blättert darin und fährt mit dem Finger bis zu dem gesuchten Eintrag: »Grenzübergang Heinrich-Heine-Straße«. Mit dem Finger verfolgt er die Zeile bis hin zur Nummer. Er drückt an der Telefonanlage den Knopf für die Außenleitung, nimmt den Hörer auf und wählt. Er läßt es nur einmal klingeln. Dann legt er wieder auf, setzt sich und starrt vor sich hin. Es ist ein großer Moment für ihn, ein Moment der Entscheidung, aber auch der Verzweiflung. Langsam setzt er den Kopfhörer wieder auf.

HAUSERS ONKEL *(über Wieslers Kopfhörer)* Ja, dann alles Gute. Ihr hört von mir ... von uns.

Dreymans Wohnung

Die Freunde verabschieden Hausers Onkel, der ihnen mit einem breiten Grinsen die Hand reicht. So viel Spaß hatte er schon lange nicht mehr. Dreyman schließt die Tür, blickt Wallner schweigend an.

DREYMAN Noch ein Bier?

Dreymans Wohnung, drei Stunden später, Abend

Es ist inzwischen dunkel. Der Rauch steht dicht im Zim-
mer, aber man kann trotzdem erkennen, daß es nicht bei
dem einen Bier geblieben ist. Sicher 20 leere Flaschen ste-
hen auf dem kleinen Tisch vor dem Sofa, auf dem Dreyman
und Wallner sitzen, gleichzeitig erschöpft und erwartungs-
voll.

Abhörzentrale, zur gleichen Zeit

Hier bietet sich ein deutlich nüchterneres Bild, aber eines
von noch viel größerer Erschöpfung: Wiesler starrt noch
genauso angespannt vor sich hin wie drei Stunden zuvor,
atmet schwer, überdenkt seine Tat. Da plötzlich leuchtet
die Anzeige für ein Außengespräch, und durch den Kopf-
hörer ist das Klingeln eines Telefons zu hören. Wiesler
tauscht seinen Kopfhörer gegen den Telefonhörer.

Dreymans Wohnung

Dreyman geht leicht schwankend zum Telefon und nimmt
ab.
DREYMAN *(mit etwas unsicherer Stimme)* Ja, Dreyman.

Telefonzelle am ICC, zur gleichen Zeit

Hausers Onkel steht in einer der alten, gelben westlichen
Telefonzellen.
HAUSERS ONKEL Also: Wie versprochen: Paul wäre drüben
… Nein, keine besondere Kontrolle. Nur das Übliche.
So schlimm sind die Jungens gar nicht. Er wäre drüben.
Dreyman sagt etwas.

HAUSERS ONKEL (*lacht*) Keine Ursache; die Gefahr war ja
wirklich nicht so groß.

Dreymans Wohnung

DREYMAN (*lacht auch*) Na, das stimmt auch wieder ...
Also auf Wiedersehen. Bis bald.
Er legt auf, sieht Wallner an und grinst. Er ist zufrieden
wie nach geleisteter Arbeit.
WALLNER Und was sagen wir, wenn uns einer fragt, was
wir hier eigentlich zusammen machen?
DREYMAN Dann sagen wir, ihr helft mir, ein Stück zum 40.
Jahrestag der DDR zu schreiben – und irgendwie
stimmt das ja sogar.
Wallner findet die Idee witzig.
DREYMAN Wer hätte gedacht, daß unsere Staatssicherheit
so unfähig ist? (*dann noch einmal laut, weil er sich so*
sicher fühlt – er streckt die Arme aus, als ob er eine
große Menge anspricht) Wer hätte gedacht, daß das solche I-di-o-ten sind!!
Dreyman lacht über seine eigene Freiheit. Wallner lacht
herzhaft mit, erleichtert und durch zehn Bier noch aus-
gelassener als sonst.

Abhörzentrale, zur gleichen Zeit

Wiesler lächelt traurig und nickt.
WIESLER Warte nur, warte nur ...
Aber die Drohung klingt nicht sehr nach Drohung. Er
spannt einen Bogen in die Maschine ein und tippt mit
großer Traurigkeit die Worte: »Keine weiteren berich-
tenswerten Vorkommnisse.«

Zahnarztpraxis, Tag

Christa sitzt im Wartezimmer einer Zahnarztpraxis. Sie liest als einzige weder ein Buch noch eine Zeitung. Eine unsympathische Krankenschwester kommt herein.

KRANKENSCHWESTER Frau Sieland, bitte.

Christa folgt ihr in das Behandlungszimmer, in dem die technischen Geräte altmodisch und nicht sehr vertrauenerweckend aussehen. Die Krankenschwester verläßt das Zimmer. Christa wartet angespannt. Schließlich kommt der Arzt herein. Wortlos geht er zu seinen Geräten, schaltet den Bohrer an und stellt ihn in den Halter. Das surrende Geräusch hört während des ganzen Gesprächs nicht auf. Aus einer verschlossenen Schublade holt der Arzt zwei Röhrchen »Aponeuron«. Er schließt die Schublade wieder ab.

ZAHNARZT Ich habe da etwas für Sie, Frau Sieland. Haben Sie auch etwas für mich?

Christa hält die Geldscheine schon in der Hand bereit. Sie reicht sie dem Arzt. Ihre Augen quellen hervor, als sie die Röhrchen in Empfang nimmt. Der Arzt sieht es.

ZAHNARZT Tun Sie sich keinen Zwang an.

Zitternd nimmt Christa zwei der Pillen ein.

Abhörzentrale, Morgen

Wiesler kommt herein; Udo schläft diesmal nicht, sondern hat den Kopfhörer auf und lauscht interessiert, dreht an den Knöpfen herum, um besser verstehen zu können. Er wendet sich zu Wiesler um.

UDO Guten Tag, Genosse Hauptmann. Hören Sie sich det mal an.

Wiesler übernimmt mit einem strengen Blick den Kopfhörer. Seine Miene verfinstert sich, als er eine fremde Stimme hört.

HESSENSTEIN *(über Wieslers Kopfhörer)* Warum die Rate
'67 am höchsten war, das ist für uns Westler verständlich. Aber 1977, das müssen Sie erklären.

Dreymans Wohnung, zur gleichen Zeit

*Ein sportlicher 50jähriger, dunkelblonder Mann in
schwarzem Anzug, Gregor Hessenstein, sitzt in Dreymans
Wohnzimmer auf dem Sofa, neben ihm Hauser auf einem
Stuhl. Dreyman ist viel zu rastlos, um zu sitzen. Er läuft
nervös im Raum auf und ab.*

DREYMAN Es soll ein literarischer Text bleiben. Keine
journalistische Hetzschrift.

HESSENSTEIN Der Text ist großartig, wie er ist. Ich möchte
nur sicherstellen, daß er auch bei uns richtig verstanden
wird.

Hauser meldet sich zu Wort.

HAUSER Er wird Furore machen, so oder so.

Abhörzentrale

Wieslers Augen weiten sich vor Erstaunen.

WIESLER Hauser – das ist Hauser …

Darüber ist wiederum Udo erstaunt.

UDO Klar ist det Hauser.

WIESLER *(mehr zu sich)* Der ist nicht im Westen …

*Udo sieht Wiesler an, als sei er nicht mehr ganz bei
Trost. Wiesler versteht für einen Moment die Welt nicht
mehr. Dann hört er mit grimmiger Miene weiter zu.*

DREYMAN *(über Wieslers Kopfhörer)* Gut, also, das kann
ich vielleicht umschreiben.

Wiesler schaut auf. Udo hat ihn genau beobachtet.

WIESLER Die schreiben zusammen ein … Theaterstück.
Zum Jubiläum. Für den 40. Jahrestag.

UDO Mir klingt det nicht nach Theaterstück.

WIESLER Wonach klingt es denn für Sie?

UDO Ick weiß nicht, aber nicht nach Theaterstück.

Wiesler blickt seinen Kollegen starr an, ohne etwas zu sagen. Udo wird ein wenig nervös.

WIESLER Sie machen sich viele Gedanken, Oberfeldwebel Leye. Sie sind doch kein Intellektueller?

UDO (*erschrocken*) Ich, nee ... also so wat bin ick nicht.

WIESLER Dann verhalten Sie sich nicht wie einer! Ich habe Sie für diese Aufgabe ausgewählt, weil es hieß, daß Sie die Technik beherrschen und keine Fragen stellen. Überlassen Sie das Denken Ihren Vorgesetzten.

UDO Schon gut, Genosse Hauptmann. Dann geh ick mal. Schönen Tag ... guten Tag ... gute Arbeit! Eh, ich meine, ick wünsche Ihnen gute Arbeit.

Wiesler behält ihn streng im Auge, bis er – beinahe rückwärts laufend – aus der Tür verschwunden ist. Dann setzt Wiesler den Kopfhörer wieder auf.

Dreymans Wohnung

HESSENSTEIN Ich lasse Ihnen noch zukommen, was wir an Materialien haben. Zwei Wochen, können Sie das schaffen? Dann könnte ich Sie noch in die erste Märzausgabe hineinbringen. Vielleicht sogar als Titel.

Da hört man, wie sich draußen im Vorraum ein Schlüssel im Schloß dreht. Dreyman wendet sich um.

DREYMAN Das ist Christa.

Hauser blickt ihn ernst und eindringlich an. Dreyman weiß, was gemeint ist, und nickt. Hessenstein verfolgt den Blickaustausch. Er ist ein guter Beobachter.

CHRISTA-MARIA (*vom Vorraum ins Wohnzimmer rufend*) Georg?

Christa-Maria kommt herein, noch im Mantel, und ist

verblüfft, so viele Freunde von Dreyman anzutreffen.
Sie begrüßt Hauser kalt, gibt Hessenstein die Hand und
stellt sich vor.

CHRISTA-MARIA Christa Sieland.

HESSENSTEIN Aber das weiß ich doch.

Christa ist geschmeichelt.

CHRISTA-MARIA Was macht ihr denn hier so verschwörerisch?

Dreyman geht auf sie zu, küßt sie liebevoll auf die
Wange, versucht für die Antwort Zeit zu gewinnen.

DREYMAN Wir ... Hauser und ich wollen zusammen ein ...
Theaterstück für den 40. Jahrestag der Republik schreiben. Der »SPIEGEL« will vielleicht vorab darüber berichten.

Abhörzentrale

Wiesler schüttelt den Kopf über Dreyman. Er ist enttäuscht
über dessen mangelndes Vertrauen zu Christa.

Dreymans Wohnung

CHRISTA-MARIA Ein Stück zu zweit? Und, wer spielt die
Hauptrolle?

HAUSER (*katzenfreundlich*) Ja, das wollten wir dich sowieso fragen: Wen würdest du lieber spielen, Christa:·
Lenin oder seine liebe alte Mutter?

Christa lacht so beleidigt wie beleidigend.

CHRISTA-MARIA (*um einen scherzhaften Ton bemüht*) Gut,
ich sehe schon, ich bin hier nicht erwünscht. Ich lege
mich kurz schlafen.

Dreyman streichelt sie liebevoll, als sie an ihm vorbei-
geht und ihm einen fragenden Blick zuwirft. Sie verläßt
den Raum.

HESSENSTEIN Ich finde Ihre Vorsicht löblich. Je weniger
Menschen von diesem Projekt wissen, desto besser. Mit
der Stasi ist nicht zu scherzen. In dem Zusammenhang
habe ich Ihnen auch etwas mitgebracht.

Er geht zur Garderobe, wo er einen altmodischen Prä-
sentkorb bereitgestellt hat. In Cellophan verpackt befin-
den sich darin eine große Torte, Früchte, Gläser mit
Gänseleber und eine Champagnerflasche. Hessenstein
trägt den Korb zum Couchtisch und beginnt, ihn – unter
Dreymans und Hausers verwunderten Blicken – selbst
auszupacken. Er nimmt die Tortenschachtel heraus und
macht sie auf; es ist keine Torte darin, sondern eine
wunderhübsche, winzige Groma-Reiseschreibmaschine.
Er reicht sie Dreyman.

DREYMAN (*ratlos*) Vielen Dank, aber die Torte wäre mir
wäre fast lieber gewesen. Ich habe schon eine Schreibmaschine.

HESSENSTEIN Deren Schriftbild längst von der Stasi erfaßt
ist. Wenn dieser Text an der Grenze abgefangen wird, mit
Ihrer Maschine geschrieben, dann sind Sie am nächsten
Tag in Hohenschönhausen. Und daß das nicht gerade
viel Spaß macht, davon kann Paul ein Lied singen, was?
Hauser preßt die Lippen zusammen und hebt die
Brauen. Ihm ist es nicht recht, so vorgeführt zu werden.
Gleichzeitig weiß er aber, daß Hessenstein es gut meint.

HESSENSTEIN Leider habe ich in diesem Miniformat nur
ein rotes Farbband auftreiben können. Macht es Ihnen
etwas aus, den Artikel in Rot zu schreiben?

DREYMAN (*lächelt*) Daran soll es nicht scheitern.

HESSENSTEIN Haben Sie einen Ort, wo Sie diese Schreibmaschine verstecken können?

DREYMAN (*etwas genervt*) Mir wird schon etwas einfallen.

HESSENSTEIN Nehmen Sie das nicht auf die leichte Schulter. Ich will nicht den nächsten Artikel darüber schreiben müssen, daß niemand weiß, wo Georg Dreyman ab-

geblieben ist. Sie müssen sie nach jedem Gebrauch verstecken. Keiner außer uns dreien darf wissen, daß es
diese Maschine überhaupt gibt.

*Plötzlich kommt es ihm merkwürdig vor, daß er in einer
Wohnung in der DDR so offen sprechen kann.*

HESSENSTEIN Diese Wohnung ist wirklich sicher?

DREYMAN Ja.

HAUSER (*will eins draufsetzen*) Diese Wohnung ist der
letzte Ort in der DDR, wo ich ungestraft sagen kann,
was ich will.

Abhörzentrale

Das kann Wiesler kaum als Kompliment auffassen.

Dreymans Wohnung

HESSENSTEIN Gut, dann lassen Sie uns darauf anstoßen.

*Hessenstein greift nach der Champagnerflasche im Prä-
sentkorb.*

HESSENSTEIN Die Flasche ist nämlich echt … Auf daß Sie
Gesamtdeutschland das wahre Gesicht der DDR zeigen!
*Dreyman ist über diesen Trinkspruch nicht glücklich,
macht aber gute Miene zum bösen Spiel. Mit sicherem
Griff löst Hessenstein das Drahtgeflecht um den Korken. Mit einem Knall fliegt der Korken gegen die Wand,
knapp neben den Lichtschalter.*

Abhörzentrale

*Der Aufprall ganz nah am Mikrophon läßt Wiesler kurz
zusammenzucken. Er sitzt mit grimmiger Miene da. In ihm
reift ein wütender Entschluß.*

Normannenstraße, Ministerium für Staatssicherheit, wenig später

Wiesler eilt entschlossen durch die langen Gänge des Stasi-Hauptquartiers, den braunen Umschlag mit dem Tagesbericht in der Hand. Er kommt im Vorzimmer zu Grubitz' Büro an. Die Sekretärin – bildhübsch, wie bei Grubitz zu erwarten – blickt ihn an.

WIESLER Ich muß zu Oberstleutnant Grubitz. Gerd Wiesler. Es ist dringend. Hauptmann Gerd Wiesler.

SEKRETÄRIN Der früheste Termin, den ich Ihnen geben kann, wäre leider erst morgen 14:30.

Die Tür zum großen Büro des Chefs der Abteilung XX/7 steht offen. Grubitz telefoniert gerade und sieht Wiesler bei seiner Sekretärin stehen. Er winkt ihn herein, ohne sein Gespräch zu unterbrechen. Die Sekretärin ist erstaunt. Wiesler geht an ihr vorbei und schließt hinter sich die Tür.

OBERSTLEUTNANT GRUBITZ *(am Telefon)* Sag ihm, wenn er den IM enttarnt, dann wird es nicht nur keine Gemeindeversammlungen mehr geben, dann wird seine ganze Kirche geschlossen. So einfach ist das.

Grubitz winkt Wiesler, er solle sich setzen. Wiesler setzt sich.

OBERSTLEUTNANT GRUBITZ Ja, dann soll er den Papst anrufen und sich beschweren ... Ja ... Und jetzt los, ich habe mich lange genug mit diesem Unsinn beschäftigt.

Grubitz legt auf.

OBERSTLEUTNANT GRUBITZ Wiesler! Gut, daß du da bist. Ich muß dir etwas zeigen.

Er nimmt ein in Leinen gebundenes DIN-A4-Buch zur Hand. In goldenen Lettern ist der Titel auf dem Umschlag eingeprägt.

OBERSTLEUTNANT GRUBITZ *(liest ihn trotzdem noch einmal vor)* »Haftbedingungen für politisch-ideologische

Diversanten der Kunst-Szene nach Charakterprofilen«.
Na, ist das wissenschaftlich? Und schau mal hier.
Er schlägt die erste Seite auf. Dort steht: »Promotion
betreut durch Professor Anton Grubitz«.

OBERSTLEUTNANT GRUBITZ Professor Anton Grubitz! Wie
gefällt dir das? Großartig, was? Ist auch eine großartige
Arbeit. Habe ihm zwar nur eine Zwei gegeben – sollen
ja nicht gleich sagen, Promotion bei mir sei leicht, – ist
aber eine erstklassige Arbeit. (*er blättert darin*) Wunderbar einfach: Wußtest du, daß es unter Künstlern nur
fünf Typen gibt. Deiner zum Beispiel, der Dreyman, ist
ein Typ 3, ein (*liest vor*) »hysterischer Anthropozentri-
ker«. Der kann doch nicht alleine sein. Muß immer Reden halten, immer Freunde um sich haben. Bei so einem
darf man es auf keinen Fall zum Prozeß kommen lassen.
Da würde der aufblühen. Nein, bei dem muß das alles in
der U-Haft ablaufen, ganz ohne Öffentlichkeit. Da wird
man viel schneller mit ihm fertig: völlige Einzelhaft,
ohne ihm zu sagen, wie lange er noch drin sein wird;
kein Kontakt zu irgendwem in der Zeit, nicht einmal zu
den Wächtern. Beste Behandlung derweil natürlich.
Keine Skandale. Es darf nichts geben, worüber er danach schreiben kann; keine Mißhandlungen; keine Schi-
kanen. Nach zehn Monaten lassen wir ihn frei, über-
raschend, und der macht uns keine Probleme mehr. (*er*
blickt Wiesler stolz strahlend an) Und weißt du, was das
allerbeste ist: Die meisten Typ 3, die wir so bearbeitet
haben, schreiben danach überhaupt nicht mehr, oder
malen nicht mehr oder was auch immer so Künstler machen. Und das, ohne daß wir irgendeinen Druck aus-
üben, ganz von selber, sozusagen als ... Geschenk! (*er*
klappt das Buch zu, noch immer ganz davon eingenom-
men) Was führt dich zu mir? Entwicklungen im Falle
Dreyman?

WIESLER Darüber wollte ich mit dir sprechen ... Ich glaube, es ist an der Zeit ...

*Wiesler macht eine Pause. Er blickt auf die Büste von
Dzerschinski auf dem Schreibtisch, auf das Wappen der
Stasi auf einer Fahne hinter Grubitz' Stuhl – ein Schild,
darin die Fahne der DDR und eine Faust mit Bajonett-
gewehr – und auf die glänzenden Buchstaben der Dok-
torarbeit.*

OBERSTLEUTNANT GRUBITZ (*ungeduldig*) An der Zeit,
was …?

WIESLER … den Vorgang zu verkleinern. Ich möchte nicht
Tages- und Nachtschicht für einen so unsicheren Fall
beanspruchen.

OBERSTLEUTNANT GRUBITZ (*unzufrieden*) Unsicher, hm?
Glaubst also nicht, daß wir etwas finden, für den Minister?

WIESLER Vielleicht, wenn wir den Fall verkleinern, beweg-
licher machen; wenn wir ›Lazlo‹ auch außerhalb seiner
Räume aufklären können.

*Grubitz nimmt sich eine Zigarre aus einem Humidor
und zündet sie an.*

OBERSTLEUTNANT GRUBITZ Soll ich Udo den Fall übergeben?

WIESLER Ich würde ihn gerne selber weiterführen.

OBERSTLEUTNANT GRUBITZ Warum?

WIESLER Es könnte schon noch etwas dabei herauskom-
men, aber ich müßte freier einteilen können … wann ich
kommen will, wann ich gehe … tags, nachts. Vielleicht
macht er ja außerhalb seiner Wohnung etwas.

OBERSTLEUTNANT GRUBITZ Haben wir denn bisher irgend
etwas? Gegen Dreyman?

WIESLER Nichts Wirkliches. Du kennst ja die Berichte. Er
bezieht eine Westzeitung … Es könnte mehr werden; ich
will dranbleiben.

*Grubitz lehnt sich in seinem Sessel zurück, schweigt,
blickt Wiesler aus verengten Augen an.*

OBERSTLEUTNANT GRUBITZ Irgendwas gefällt mir da nicht.

Wiesler verzieht keine Miene.

OBERSTLEUTNANT GRUBITZ Irgend etwas sagst du mir nicht.

Er blickt Wiesler ernst an. Wiesler muß dem Blick standhalten. Eine Art Duell.

OBERSTLEUTNANT GRUBITZ (*lehnt sich plötzlich nach vorne*) Wie du willst. ... Udo ziehe ich ab. Ich kann ihn gut für diesen Kirchenfall verwenden. Reich mir den Antrag aber schriftlich ein, damit ich ihn nachträglich genehmigen kann. Schreib als Begründung: »Mangelnde Verdachtsmomente«.

Das Gespräch ist damit beendet. Wiesler erhebt sich, grüßt und geht zur Tür. Den Umschlag hat er noch in der Hand.

OBERSTLEUTNANT GRUBITZ Wiesler; noch ein Rat. Wir sind nicht mehr an der Hochschule: Auf Projekten geht es nicht um Noten, sondern um Erfolg.

Wiesler nickt und verläßt den Raum.

Montage (zu Musik):

Dreymans Wohnung, früher Morgen

Kamera-Kreisfahrt: Die roten Zeichen erscheinen, ein Buchstabe nach dem anderen, dramatisch auf dem weißen Papier. Dreymans Anschlag ist kraftvoll. Auf seiner Groma-Reiseschreibmaschine schreibt er an seinem Text.

Dreymans Wohnung, später Abend

Die Kreisfahrt wird fortgeführt: Dreyman liest den Text Hauser und Wallner vor. Hauser raucht dabei nervös. Er ist von dem Text elektrisiert. Wallner lächelt ernst.

Abhörzentrale, zur gleichen Zeit

*Der dritte Teil der Kreisfahrt: Wiesler hört ebenfalls zu; er
lächelt nicht. Jeder Anschlag auf seiner Schreibmaschine
scheint ihm weh zu tun: »›Lazlo‹ liest Hauser und Wallner
den ersten Akt des Jubiläumsstücks vor.«*

Dreymans Wohnung, wenig später

*Hauser steht auf, schlägt Dreyman überschwenglich auf
den Arm, nimmt ihm die rotgetippten Seiten ab, schaut selber noch einmal hinein. Dreyman freut sich, gibt sie gern
ab. Er nimmt die Schreibmaschine, geht zu der breiten höl-
zernen Türschwelle und hebelt sie mit seinem Brieföffner
heraus. Darunter, zwischen dem Parkett des Flurs und des
Arbeitszimmers, ist ein großer Hohlraum. Vorsichtig ver-
senkt er die Schreibmaschine darin. Dabei kommt er mehr-
mals in Kontakt mit dem Farbband und beschmiert sich die
Hände mit roter Farbe. Hauser reicht ihm die Blätter, und
Dreyman steckt sie daneben in die Öffnung. Auch sie werden beschmiert. Dreyman streckt den Freunden wie Lady
Macbeth seine roten Hände entgegen, als seien sie voller
Blut. Die Männer lachen. Dreyman deckt das Versteck mit
der Schwelle wieder ab. Sie rastet ein.*

Abhörzentrale, zur gleichen Zeit

*Wiesler kann dieses Geräusch nicht zuordnen, zieht die
Augenbrauen konzentriert und verständnislos zusammen.*

Straße vor der Zahnarztpraxis

Christa kommt aus dem Hauseingang heraus. »Zahnarzt Dr. Goran Zimny« steht auf einem Schild. Sie blickt sich um, als wollte sie überprüfen, ob sie beobachtet wird. Dann geht sie weiter. Auf der gegenüberliegenden Straßenseite sitzt Nowack in seinem Wagen und schreibt auf: »Dr. Goran Zimny«.

Dreymans Wohnung

Dreyman schreibt an seinem roten Suizidtext. Auf seinem Tisch liegen verschiedene Statistikbögen und ein Programmheft mit einem Porträtfoto von Albert Jerska. Dreyman zieht das Papier von der Walze und liest den letzten Teil noch einmal durch. Er ist zufrieden. Dann steht er auf, nimmt seine Schreibmaschine und die übrigen Materialien und kniet sich damit auf den Boden vor der Türschwelle. Vorsichtig hebt er sie heraus und will gerade alles in dem Hohlraum verstecken, als Christa die Wohnungstür aufmacht, die den Blick genau auf Dreyman freigibt. Die Musik der Montage endet abrupt.

Nach einem Moment des Erstaunens läßt sie die Tür hinter sich zufallen und verschwindet wortlos im Badezimmer. Dreyman hält kurz inne, schüttelt den Kopf über dieses unglückliche Ereignis. Dann verschließt er das Fach.

Dreymans Wohnung, Schlafzimmer, Nacht

Dreyman und Christa liegen im Bett. Christa schläft, Dreyman ist wach und sieht sie an. Er streicht ihr über die Haut und über eine feine Narbe an ihrem Schlüsselbein. Sie macht die Augen auf.

CHRISTA-MARIA Kannst nicht schlafen?

DREYMAN Ich will dich noch ein bißchen ansehen … Diese Narbe, die liebe ich besonders. Wenn ich in die Vergangenheit reisen könnte und verhindern, daß die zwölfjährige Christa mit ihrem Rad in die Straßenbahnschiene fährt und stürzt … ich würde es nicht tun, wenn ich dann auf diese Narbe verzichten müßte.

CHRISTA-MARIA *(verschlafen)* Du würdest mich hinfallen lassen?

Dreyman lächelt. Christa blickt ihn an.

CHRISTA-MARIA Es war gar keine Straßenbahnschiene damals, weißt du.

Dreyman ist erstaunt, schaut fragend.

CHRISTA-MARIA Der Gruppenratsvorsitzende unserer Jungen Pioniere war in mich verliebt, aber ich nicht in ihn. Er hat mich vom Rad geschubst, und ich bin auf den Asphalt gestürzt. Unser Lehrer hat alles gesehen. Aber im Bericht stand dann das mit der Straßenbahnschiene. Und ich wurde im Namen des Sozialismus verpflichtet, bei der Geschichte zu bleiben. Meine erste Begegnung mit der Macht.

Sie blickt Dreyman an.

CHRISTA-MARIA (*selber ungläubig*) Du bist der einzige, dem ich das je erzählt habe.

Dreyman streicht ihr über das Haar, voller Mitgefühl. Er küßt sie, blickt sie noch einmal an, faßt einen Entschluß.

DREYMAN Es ist kein Theaterstück, das wir schreiben, Christa.

CHRISTA-MARIA Du brauchst es mir nicht zu erzählen.

DREYMAN Ich will es dir aber erzählen. Ich schreibe Texte, die …

CHRISTA-MARIA (*fast panisch*) Sag es mir nicht! Vielleicht bin ich ja wirklich so unzuverlässig, wie deine Freunde sagen.

Dreyman will widersprechen. Sie legt ihm den Finger auf den Mund.

CHRISTA-MARIA (*sanfter*) Ich bin jetzt ganz bei dir, ganz egal was.

Sie küßt ihn voll zärtlicher Verzweiflung.

Abhörzentrale, zur gleichen Zeit

Wiesler sitzt und nickt traurig mit dem Kopf. Die Musik schwillt wieder an. Die Montage wird fortgesetzt.

Hotelzimmer, zur gleichen Zeit

In einem trostlosen Ost-Hotelzimmer sitzt auf einem Stuhl vor einem großen Doppelbett der Minister, tieftraurig. Er versteht, daß sie nicht kommen wird, daß sie nie wieder kommen wird. Daß es aus ist.

Dreymans Wohnung, Tag

Hessenstein verstaut die rot beschriebenen, rot beschmierten Seiten ganz klassisch hinter dem Futter seiner Aktentasche. Er schüttelt Dreyman zum Abschied die Hand.

Ende der Montage.

Dreymans Wohnung, abends, eine Woche später

Dreyman und Christa sitzen vor dem Fernsehapparat und sehen die »Tagesschau«. Nach einigen Meldungen zum Krieg zwischen Iran und Irak und zum Waldsterben wird plötzlich im Hintergrund das Cover einer »SPIEGEL«-

*Ausgabe eingeblendet: Hammer, Sichel und Strick sind
darauf zu sehen.*

NACHRICHTENSPRECHER ... Hamburg: Anspannung im
   deutsch-deutschen Verhältnis. Der »SPIEGEL« veröffentlichte heute als Titelgeschichte den Text eines unge-
   nannten ostdeutschen Autors zum Selbstmord in der
   Deutschen Demokratischen Republik. Anlaß war eine
   Reihe von Suiziden prominenter ostdeutscher Künstler,
   zuletzt des Ost-Berliner Theaterregisseurs Albert Jerska.
   Jerska hatte sich nach einem sieben Jahre anhaltenden
   Berufsverbot, das unter dem späteren Minister Bruno
   Hempf durchgesetzt wurde, am 4. Dezember das Leben
   genommen. 1977 hörte die DDR auf, ihre Selbstmord-
   statistik zu veröffentlichen. In dem Jahr hatte Ungarn
   als einziges europäisches Land eine höhere Suizidrate. –
   Belfast: ...

*Christa sieht Dreyman von der Seite an. Er blickt weiter
starr nach geradeaus, schaut aber am Fernsehapparat
vorbei. Es ist ihm klar, daß sie weiß, daß das sein Text
ist, von dem gerade gesprochen wurde.*

Normannenstraße, Nachmittag

Der graue Koloß des Ministeriums für Staatssicherheit.

Grubitz' Büro

*Grubitz sitzt steif an seinem Bürotisch und telefoniert. Er
sieht sehr angespannt aus. Vor ihm auf dem Schreibtisch
liegt eine Ausgabe des »SPIEGEL«.*

OBERSTLEUTNANT GRUBITZ Jawohl, Genosse Armeegene-
   ral. Wir haben ...

*Die autoritäre Stimme am anderen Ende der Leitung
brüllt ihn nieder wie einen Laufburschen.*

OBERSTLEUTNANT GRUBITZ (*in den Hörer*) Ja, wir haben ...
Wieder Brüllen von der anderen Seite.

OBERSTLEUTNANT GRUBITZ Wir haben ... Genosse Armee-
general ... wir haben durch einen IM in der »SPIEGEL«-
Redaktion in Hamburg eine Lichtpause des Originalar-
tikels bekommen.

Aufregung auf der anderen Seite.

OBERSTLEUTNANT GRUBITZ Er wußte auch nicht, wer der
Autor war. Aber aufgrund des Schriftbildes der Schreibmaschine können wir ...

Gebellte Befehle unterbrechen seine Ausführungen.

OBERSTLEUTNANT GRUBITZ Das werde ich, Genosse Ar-
meegeneral, sobald es Ergebnisse ...

*Die andere Seite brüllt noch eine Order in den Hörer
und legt auf. Grubitz legt ebenfalls auf, frustriert. Er
drückt auf den Knopf der Sprechanlage.*

OBERSTLEUTNANT GRUBITZ (*in die Sprechanlage*) Andrea,
wo bleibt der Schriftexperte?

SEKRETÄRIN (*aus der Sprechanlage*) Er wartet bereits hier.
Ich dachte, weil Sie ...

OBERSTLEUTNANT GRUBITZ (*unterbricht sie*) Schicken Sie
ihn sofort herein.

Grubitz' Büro, wenig später

*Der Schriftexperte, ein kleines dünnes Männlein mit stark
sächsischem Dialekt, hat eine Tafel aufgebaut, auf der verschiedene Vergrößerungen von einzelnen Buchstaben und
Worten aus Dreymans Manuskript hängen. Er hat Winkel-
angaben unter bestimmte Buchstaben gezeichnet, die Ab-
stände mit Zahlen versehen, Ausfransungen markiert. Das
Ganze ist sehr wissenschaftlich aufbereitet.*

SCHRIFTEXPERTE … und so komme ich zu dem Schluß,
daß die Schreibmaschine nur eine für den Export bestimmte, heimische Reiseschreibmaschine modernster
Ausführung sein kann, mit größter Wahrscheinlichkeit
das Modell Kolibri der VEB Groma Büromaschinen.
Wäre die Vorlage in schwarzer Tinte gewesen, könnte
ich es noch bestimmter sagen.
*Der Schriftexperte hat das Gefühl, seine Arbeit getan zu
haben. Grubitz interessieren die Ausführungen jedoch
nur wenig.*

OBERSTLEUTNANT GRUBITZ Und, wer hat so eine Schreibmaschine?

SCHRIFTEXPERTE So eine Maschine ist in unserer Republik
nirgends erfaßt.

OBERSTLEUTNANT GRUBITZ Was soll das heißen. Worauf
schreibt zum Beispiel Hauser?

SCHRIFTEXPERTE Der Journalist Paul Hauser? Schreibt
auf dem Modell Valentino des Olivetti-Betriebes. Bei
diesem Modell wären die Anschlagswinkel deutlich ho-
rizont …

OBERSTLEUTNANT GRUBITZ (*unterbricht ungeduldig*) Ja,
ja. Und Wallner?

SCHRIFTEXPERTE (*beleidigt*) … schreibt auf einer heimi-
schen Optima Elite.
Grubitz denkt nach.

OBERSTLEUTNANT GRUBITZ Georg Dreyman.

Es ist mehr eine Aussage als eine Frage.

SCHRIFTEXPERTE Georg Dreyman schreibt seine ersten Entwürfe mit der Hand und die Reinschrift auf einer Original Wanderer Torpedo. Er hat nie mit etwas anderem geschrieben.

OBERSTLEUTNANT GRUBITZ Wie groß wäre diese Kolibri-Schreibmaschine?

SCHRIFTEXPERTE Sie ist eine der kleinsten industriell gefertigten Maschinen. 19,5 cm mal 9 cm mal 19,5 cm.

Grubitz formt die Maße mit den Händen nach.

OBERSTLEUTNANT GRUBITZ Nicht schwerer zu schmuggeln als ein Buch … Sie können gehen.

Der Experte packt seine Sachen zusammen und verläßt den Raum mit einem gekränkten gemurmelten Gruß. Grubitz starrt auf die Ausgabe des »SPIEGEL« und grübelt. Plötzlich drückt er auf den Knopf der Gegensprechanlage.

OBERSTLEUTNANT GRUBITZ (*in die Anlage*) Andrea, verbinden Sie mich mit Hauptmann Gerd Wiesler.

Abhörzentrale, zur gleichen Zeit

Wiesler sitzt an seinen Geräten, hört mit und schreibt an seinem fiktiven Bericht für den Tag: »Die Gruppe ist sehr ermüdet vom vielen Schreiben.« Da leuchtet der Knopf für »externe Leitung« auf seinem Telefon. Er drückt ihn und nimmt ab.

WIESLER Ja, hallo.

Grubitz' Büro

OBERSTLEUTNANT GRUBITZ Wiesler. Hast du schon von dem Selbstmordartikel gehört?

Abhörzentrale

WIESLER Im »SPIEGEL«, ja.
Er macht eine Geste, die zeigt, daß er sich ärgert, das so
schnell zugegeben zu haben. Grubitz fragt etwas.
WIESLER Hauser hat Dreyman angerufen und ihm davon
erzählt.

Grubitz' Büro

OBERSTLEUTNANT GRUBITZ Wiesler, das ist jetzt sehr, sehr
wichtig, für meine Karriere und für deine Karriere. Hat
er irgend etwas erwähnt, wer dahinterstecken könnte?
Oder hast du Ideen?

Abhörzentrale

Wiesler läßt sich Zeit. Die Situation ist offensichtlich sehr
schwer für ihn.
WIESLER Ja, ich bin noch da … Ich denke nur nach. Aber
ich glaube nicht, daß er etwas erwähnt hat. Nein, er hat
nichts erwähnt.

Grubitz' Büro

OBERSTLEUTNANT GRUBITZ Ein »SPIEGEL«-Redakteur
hat am 27. unter verdecktem Namen den Grenzübergang an der Bornholmer Straße passiert und vier Stunden hier verbracht. Gregor Hessenstein. Die Abteilung
VI hat ihn bis zum Prenzlauer Berg verfolgt und dann
aus den Augen verloren. Hatte er irgendwie Kontakt zu
Georg Dreyman?

Abhörzentrale

Wiesler atmet schwer.
WIESLER Hätte ich das nicht im Bericht erwähnt?
Ihm steht der Schweiß auf der Stirn.

Grubitz' Büro

OBERSTLEUTNANT GRUBITZ Natürlich, natürlich. Aber ...
    auf jeden Fall riecht dieser Text nach Schriftsteller.
    Wäre erstaunt, wenn ich mich da irre. Halt die Ohren
    offen.
    Er legt auf.
OBERSTLEUTNANT GRUBITZ Scheiße!

Abhörzentrale

*Wiesler hat das Duell zwar gewonnen, aber mit großen
Verlusten. Er legt den Kopf auf die Tischplatte und atmet
tief durch.*

Grubitz' Büro

*Grubitz starrt noch einen Moment auf den Text, dann auf
die Uhr – es ist kurz nach vier – und steht auf, zieht seinen
Mantel an.*
OBERSTLEUTNANT GRUBITZ (*zu seiner Sekretärin*) Ich kom-
    me heute nicht mehr zurück. Bin verabredet.

Normannenstraße, Nachmittag

Grubitz verläßt das Gebäude des Ministeriums durch den
Haupteingang. Hempfs Limousine wartet dort, der Motor
läuft. Die Tür wird von innen aufgestoßen.
HEMPF Steigen Sie ein.
  Kaum hat Grubitz Platz genommen, fährt das Auto los.
  Der Minister blickt ihn nicht an, sondern beginnt mit
  monotoner Stimme, die bei ihm ein Ausdruck von Emo-
  tion ist, zu sprechen.
HEMPF Wenn ein Mitarbeiter Sie hintergeht, dann strafen
  Sie ihn nach Kräften, oder etwa nicht?
OBERSTLEUTNANT GRUBITZ O doch! Doch!
HEMPF Auch eine Frau, oder etwa nicht?
OBERSTLEUTNANT GRUBITZ (*beflissen*) Doch, doch!
HEMPF Und sind nicht alle, die einem großen Mann die-
  nen, seine Mitarbeiter?
OBERSTLEUTNANT GRUBITZ Das kann man so sagen.
  Müßte man vielleicht sogar so sagen.
  Hempf blickt die ganze Zeit weiter nach vorn. Dann
  reicht er Grubitz einen Zettel, auf dem steht: »Praxis
  Dr. Goran Zimny, Prenzlauer Allee, Mittwoch, 14:20«.
HEMPF Dort wird sie ihre illegalen Psychopharmaka be-
  ziehen. Christa-Maria Sieland. Ich denke, Sie sollten es
  wissen. Fällt in Ihren Bereich. Ob Sie ihr das Genick
  brechen oder nicht, ist Ihnen überlassen. Ich will sie auf
  jeden Fall nicht wieder auf einer deutschen Bühne spielen sehen.
  Grubitz blickt verwirrt auf den Zettel, als ob dort noch
  viel mehr zu lesen wäre als diese paar Worte.
HEMPF Und jetzt steigen Sie aus.

Zahnarztpraxis, 14:30

Der Bohrer steht wieder surrend in seinem Halter. Der Zahnarzt reicht Christa die Pillenröhrchen, sie gibt ihm das Geld und will eines der Röhrchen öffnen. Da geht die Tür auf, und die unsympathische Krankenschwester kommt herein. Der Zahnarzt zuckt zusammen und faucht sie an.

ZAHNARZT Tür zu!

Doch sie läßt sie offen. Drei Männer in Lederjacken drängen an ihr vorbei – Stasi-Männer. Sie stellen sich neben Christa, nehmen ihr die Tabletten aus der Hand und stecken sie in eine vorbereitete Tüte für Beweismaterial. Der Zahnarzt blickt entsetzt.

ZAHNARZT Bitte, ich kann das erklären. Ein ... ein anderer Patient hat diese Medikamente hier vergessen. Und dieses Geld ...

Er reicht ihnen das Geld hin. Ein Bestechungsversuch? Das Einsatzkommando beachtet ihn überhaupt nicht.

STASI-MANN Frau Sieland. Bitte folgen Sie mir zur Klärung eines Sachverhaltes.

Christa sieht sich entsetzt um. Sie merkt, daß es keinen Sinn hat, Widerstand zu leisten. Wie ein zum Tode Verurteilter läßt sie sich abführen. Der Zahnarzt bleibt mit der Krankenschwester allein zurück. Er streift seinen Kragen gerade und blickt sie haßerfüllt an.

ZAHNARZT Worauf warten Sie? Rufen Sie den nächsten Patienten.

Hohenschönhausen, Untersuchungsgefängnis, Abend

In einem als Fischtransporter getarnten Gefangenenwagen mit verdunkelten Einzelzellen wird Christa in den Hof des Untersuchungsgefängnisses gefahren und von Wächtern herausgeführt. Sie trägt Handschellen.

Hohenschönhausen, Untersuchungsgefängnis,
Fotoraum, wenig später

*Sie wird auf einen Holzstuhl geschnallt, der mit Hilfe eines
Hebels mechanisch, unter lautem Poltern, erst um 90 Grad
nach links und dann um 90 Grad nach rechts gewuchtet
wird. Zeitgleich werden drei Fotos mit Blitzlicht ausgelöst.
Damit hat die erste Hinrichtung schon stattgefunden, bevor sie überhaupt dem Untersuchungsrichter vorgeführt
wird. Unsanft wird sie dann am Arm gepackt und durch
die Gänge geführt, bis sie zur Tür eines Verhörzimmers
kommen.*

WÄCHTER Anrede: Herr Oberstleutnant
> *Der Wächter klopft an, wartet einen Moment und öff-
> net.*

Hohenschönhausen, Verhörzimmer, Nacht

*Der Wächter führt Christa in das Verhörzimmer. In dem
Raum sind einige Preßholzschränke und ein Kleiderstän-
der aus Stahl. Ansonsten nur noch ein Schreibtisch, hinter
dem Oberstleutnant Grubitz sitzt, und ein orangefarben
bespannter Hocker. Grubitz blickt auf.*

OBERSTLEUTNANT GRUBITZ Die Handschellen werden
nicht nötig sein. Nehmen Sie sie ab und lassen Sie uns
allein.
> *Der Wächter löst die Schellen, salutiert und verläßt den
> Raum. Grubitz tritt hinter dem Schreibtisch hervor auf
> Christa zu, nimmt ihr galant den Mantel ab und hängt
> ihn an den Kleiderständer.*

OBERSTLEUTNANT GRUBITZ So, Genossin Sieland ... Das
Ende einer schönen Karriere?
> *Christa kann ihr Entsetzen nicht verstecken. Grubitz
> beobachtet sie genau.*

OBERSTLEUTNANT GRUBITZ Schade eigentlich. Sie waren gut. Es war kurz, so kurz ... Was macht eigentlich ein Schauspieler, wenn er nicht mehr spielt?

CHRISTA-MARIA Bitte ... kann ich nicht irgend etwas für Sie tun? Für ... die Staatssicherheit?

OBERSTLEUTNANT GRUBITZ (*lächelt, schüttelt den Kopf*) Dafür ist es etwas spät.

CHRISTA-MARIA Ich kenne unsere Künstler fast alle. Ich könnte viel für Sie herausfinden.

OBERSTLEUTNANT GRUBITZ Das glaube ich Ihnen. Aber das wird Ihnen nicht mehr helfen.

CHRISTA-MARIA (*schmeichelnd*) Vielleicht gibt es etwas anderes, was ich tun kann – etwas, das uns beiden nicht ganz unangenehm wäre?

Grubitz sieht sie an. Es bereitet ihm Befriedigung, daß sie ihm dieses Angebot macht. Er läßt sie ihren locken-den Blick lange halten.

OBERSTLEUTNANT GRUBITZ Leider haben Sie sich – wie soll ich das sagen? – einen mächtigen Mann zum Feind gemacht. Ich bin deshalb weniger frei, als ich es sonst wäre.

Christa versteht, was er meint. Von einer Sekunde auf die andere ist zu Grubitz' Enttäuschung die Stimmung eine ganz andere.

CHRISTA-MARIA Gibt es irgend etwas, wodurch ich mich noch retten kann?

OBERSTLEUTNANT GRUBITZ Bedauere, Gnädigste ...

Plötzlich spielt sie nicht mehr. Nur noch angstvolle An-spannung ist auf ihrem Gesicht zu lesen.

OBERSTLEUTNANT GRUBITZ Es gäbe nur eine Sache ... Wenn Sie so viel mit Künstlern und Literaten zu tun ha-ben ... Sie wissen nicht zufällig etwas über einen Arti-kel, der letzte Woche im »SPIEGEL« erschienen ist? Ein Artikel über Selbstmörder?

Christa senkt ihren Kopf. Dann lacht sie hysterisch, ein

Lachen, das gleich in ein Weinen übergeht. Grubitz ist
das nicht geheuer. Plötzlich hebt Christa ihren Kopf und
blickt ihm direkt ins Gesicht.
CHRISTA-MARIA Der Artikel ist von Georg.
OBERSTLEUTNANT GRUBITZ Georg Dreyman?
Christa sieht ihn weiter an, sagt aber nichts.
OBERSTLEUTNANT GRUBITZ Das kann nicht sein. Er ist
nicht auf seiner Schreibmaschine geschrieben.
Christa hält den Blick.
OBERSTLEUTNANT GRUBITZ Es gibt zwei Maschinen!
Sie blickt ihn weiter an, eine stumme Bestätigung. Gru-
bitz kann seine Aufregung nur schwer verbergen.
OBERSTLEUTNANT GRUBITZ Ich wußte es!!

Straße vor Dreymans Haus, Nacht

Eine uniformierte Einsatztruppe macht sich ein weiteres
Mal an Dreymans vielstrapaziertem Türschloß zu schaffen.
Es ist schnell geöffnet. Oberstleutnant Grubitz selbst
schickt mit einer abgehackten Befehlsgeste die sechs be-
waffneten Männer nach oben. Er bleibt unten stehen.

Dreymans Treppenhaus

Der Leiter des Einsatztrupps hämmert mit der Faust be-
drohlich gegen die Tür und klingelt gleichzeitig.
LEITER Staatssicherheit, öffnen Sie die Tür.

Abhörzentrale

Wiesler schreckt auf. Er hat den Kopfhörer auf und kann
kaum glauben, was er hört: hartes Poltern, Klingeln und

»Aufmachen«-Rufe. Auf seinem Bildschirm sieht er Gru-
bitz an der Haustür stehen. Plötzlich wendet er sich der
Kamera zu und winkt sarkastisch hinein. Während Wiesler
den Schreck verarbeitet, begibt Grubitz sich auf die andere
Straßenseite.

Dreymans Wohnung

Dreyman hat sich im Bett aufgesetzt und denkt nach. Er
springt auf, eilt in sein Arbeitszimmer, kniet sich auf den
Boden und prüft sorgfältig das Geheimfach unter der Tür-
schwelle. Er nimmt die Schwelle ab, setzt sie wieder darauf,
läßt sie fest einrasten, fährt mit der Hand darüber und ver-
gewissert sich, daß die Stelle unauffällig aussieht.

Straße vor Dreymans Haus, zur gleichen Zeit

Von der anderen Straßenseite aus sieht Grubitz auf die er-
leuchteten Fenster. Er nimmt sein Funkgerät zur Hand.
OBERSTLEUTNANT GRUBITZ (*ins Funkgerät*) Er hat das
    Licht im Arbeitszimmer angeschaltet. Brecht die Tür
    auf, bevor er Beweismaterial vernichten kann.

Dreymans Treppenhaus

Der Leiter hat das Kommando entgegengenommen. Er winkt einem seiner Leute und deutet auf die Tür.

LEITER Brecheisen.

Gerade als der Untergebene das Brecheisen ansetzen will, öffnet sich die Tür. Dreyman steht im Morgenmantel da.

DREYMAN Ich glaube, das wird nicht nötig sein. Was ist denn los, Genossen?

LEITER Wir haben den Befehl, Ihre Wohnung zu durchsuchen. Hier die richterliche Bestätigung.

Er will ihm das Blatt reichen. Dreyman ignoriert es.

DREYMAN Was suchen Sie denn?

LEITER Geheimsache.

Er nimmt einen Grundriß der Wohnung zur Hand.

LEITER Boysen und Müller, Schlafzimmer und Flur, Greska Küche, Bad, WC und Gänge, Heise und Thomas Wohnzimmer und Arbeitszimmer. Los.

Die Männer stürmen zu denen ihnen zugeteilten Bereichen und legen mit brutaler Gründlichkeit los: Jeder Schrank wird unsanft geleert und ausgespiegelt, jede Schublade ausgeleert, jedes Buch aus dem Regal gezogen.

Abhörzentrale, Nacht

Wiesler hört völlig regungslos zu. Der Schweiß steht ihm auf der Stirn.

Dreymans Wohnung, Nacht

Der Leiter überwacht die Razzia und behält gleichzeitig Dreyman im Auge. Der schaut den Männern mit stoischer Ruhe zu. Der Kommandoleiter entdeckt das Metallgefäß, in dem Dreyman seine Dokumente verbrennt. Er holt etwas Asche daraus hervor, begutachtet sie.

LEITER Was verbrennen Sie darin?

DREYMAN Schlechte Texte.

Der Leiter quittiert die Bemerkung etwas säuerlich und nimmt sich eines der Bücher, die seine Männer aus den Regalen geworfen haben. Es ist ein Buch von Solschenizyn.

LEITER Reichlich Westliteratur, wie?

DREYMAN Der Band gerade ist ein Geschenk von Margot Honecker.

Der Soldat blickt betreten, ein bißchen ängstlich. Sein Funkgerät beginnt zu rauschen.

OBERSTLEUTNANT GRUBITZ (*über das Funkgerät*) Wie ist der Stand?

Der Leiter wendet sich von Dreyman ab. Die Störung ist ihm willkommen.

LEITER Alles läuft nach Plan.

Greska kommt aus der Küche, Boysen und Müller aus dem Schlafzimmer. Auf den fragenden Blick des Leiters schütteln sie nur den Kopf. Schließlich kommen Heise und Thomas aus dem Arbeitszimmer. Auch sie schütteln den Kopf.

HEISE (*wie zum Trost*) Allerdings verschiedene Bände Westliteratur und Westzeitungen.

Der Leiter nimmt sein Funkgerät zur Hand.

LEITER Keine Spuren von dem Gesuchten.

OBERSTLEUTNANT GRUBITZ (*über das Funkgerät*) Waren
Sie auch gründlich?

*Der Leiter wirft noch einen Blick ins Arbeitszimmer, das
aussieht, als ob ein Wirbelsturm hindurchgezogen wäre.
Sein Blick trifft auf Dreyman, der ebenfalls gerade die
Verwüstung betrachtet hat. Dreyman spitzt begütigend
den Mund und nickt.*

LEITER Jawohl, Genosse Oberstleutnant. Wie verfahren
wir weiter?

Es kommt zunächst keine Antwort. Der Leiter wartet.

Abhörzentrale, zur gleichen Zeit

*Auch Wiesler wartet. Er sitzt regungslos da. Jeder Muskel
in seinem Körper ist gespannt.*

Dreymans Wohnung

LEITER Genosse Oberstleutnant?

OBERSTLEUTNANT GRUBITZ (*über das Funkgerät*) Ziehen
Sie Ihre Männer ab.

Abhörzentrale

Wiesler atmet auf.

Dreymans Wohnung

*Die Männer haben die verwüstete Wohnung schon verlas-
sen; der Einsatzleiter holt noch etwas aus seiner Tasche.*

LEITER Hier ist die Adresse des Ministeriums. Gemäß

§110 Absatz 1 StPO können Sie Vergütung verlangen, sollte wider Erwarten etwas beschädigt worden sein.
Er reicht Dreyman das Blatt. Der nimmt es, ohne einen Blick darauf zu werfen.
DREYMAN Ich bin sicher, es ist alles in bester Ordnung.
Kaum ist die Tür zu, atmet auch Dreyman auf und läßt sich auf einem Sessel nieder.

Abhörzentrale, zur gleichen Zeit

Wiesler nimmt den Kopfhörer von den Ohren und reibt sich den Kopf. Er ist genauso erleichtert wie Dreyman. Da leuchtet am Telefon das Lämpchen für »externe Leitung« auf. Er nimmt zögernd ab.
OBERSTLEUTNANT GRUBITZ (*über den Hörer, mit strenger Stimme*) Wiesler, ich erwarte Sie morgen früh 9:00 in Hohenschönhausen.
Die Erleichterung ist erst einmal verflogen.

Treptower Park, Dämmerung

Hauser und Wallner sitzen neben Dreyman auf einer Parkbank. Sie haben seinen Erzählungen gelauscht.
HAUSER Dann will ich mal sagen, was wir alle denken: Es war Christa-Maria. Die Stasi hat sie geschnappt, und sie hat dich verraten.
Der Gedanke ist auch Dreyman schon gekommen.
DREYMAN Vielleicht war es einfach eine Routinekontrolle.
HAUSER Dann hätten sie doch auch bei mir gesucht.
DREYMAN Das kommt vielleicht noch.
HAUSER Warum sperrst du dich so gegen die einleuchtendsten Tatsachen? Wer soll es denn sonst gewesen sein?
DREYMAN (*plötzlich wütend*) Vielleicht einer von euch!?!

Betroffenes Schweigen.

WALLNER (*sanft, beschwichtigend*) Komm, Georg, das meinste doch nicht ernst.

Dreyman meint es tatsächlich nicht ernst.

DREYMAN Sie war es nicht.

HAUSER Woher willst du das wissen?

WALLNER Du sagst doch selber, daß sie gestern nacht nicht bei dir war.

DREYMAN Sie ... (*gepeinigt*) ... sie kennt das Versteck.

HAUSER Was?

DREYMAN Sie kennt es. Also wenn du recht hast und die Durchsuchung wirklich auf sie zurückgeht, dann ist sie unser größter Schutzengel.

Hauser und Wallner schweigen und blicken sich an.

Hohenschönhausen, Untersuchungsgefängnis, Morgen

Ein Wachhäuschen mit bewaffnetem Wächter und eine Schranke sichern das Gefängnis vor ungebetenem Besuch. Wiesler fährt in seinem Auto vor.

WIESLER (*aus dem Auto heraus*) Hauptmann Wiesler zu Oberstleutnant Grubitz.

Der Wächter nimmt den Telefonhörer ab und wählt eine interne Nummer, während Wiesler im Auto wartet und zuschaut. Es folgt ein kurzer Dialog – der Wächter steht stramm, als ob sein Vorgesetzter das auch über das Telefon merken könnte –, dann legt er auf.

WÄCHTER Verhörzimmer Nummer 76.

WIESLER (*mehr zu sich, während er in den Hof fährt*) Verhörzimmer ...

Hohenschönhausen, etwas später

Wiesler läuft durch die Gänge, bis er zu dem angegebenen Verhörzimmer kommt. Vor der Tür zögert er. Er beobachtet, wie ein Gefangener aus einem anderen Zimmer abgeführt wird, gebückt, erniedrigt. Er weiß: Jetzt ist es aus. Er klopft an.

OBERSTLEUTNANT GRUBITZ (*durch die Tür*) Herein.

Hohenschönhausen, Verhörzimmer

Es ist derselbe Raum, in dem Grubitz am Abend zuvor Christa verhört hat. Er sitzt wieder hinter seinem Schreibtisch und raucht eine Zigarre. Er blickt Wiesler an. Wiesler wartet.

OBERSTLEUTNANT GRUBITZ Setz dich.

Wiesler nähert sich dem Hocker und sieht zu seiner Erleichterung, daß er nicht mit orangefarbenem Stoff bespannt ist. Er setzt sich. Oberstleutnant Grubitz blickt Wiesler ins Gesicht.

OBERSTLEUTNANT GRUBITZ Und?

WIESLER Was sollte das?

OBERSTLEUTNANT GRUBITZ Was sollte das!? Das fragst du mich!?

WIESLER Wessen verdächtigst du Dreyman?

OBERSTLEUTNANT GRUBITZ Er ist der Autor des »SPIE-
GEL«-Artikels!

WIESLER Wer hat das behauptet?

OBERSTLEUTNANT GRUBITZ Komm mit.

*Er erhebt sich und geht zur Tür hinaus. Wiesler folgt
ihm.*

Hohenschönhausen, Untersuchungsgefängnis

*Mit der Zigarre in der Hand läuft Grubitz wie ein Allein-
herrscher die Zellengänge entlang. An einer Zelle bleibt er
stehen und zeigt auf das Guckloch. Wiesler nähert sich,
hebt die Klappe und schaut hinein. Sofort läßt er sie wieder
fallen: Christa kauert in einer Ecke, eine Filzdecke um die
Schultern gelegt, und macht ihre Sprechübungen. Grubitz
schaut verächtlich zu Wiesler. Der schweigt, bemüht, keine
Emotionen zu zeigen.*

OBERSTLEUTNANT GRUBITZ Ich weiß zwar nicht, durch
welche Schlamperei dir das alles entgehen konnte. Aber
ich kenne dich auch anders. Vor allem als Befrager. Und
deshalb gebe ich dir eine letzte Chance.

Hohenschönhausen, zentraler Befragungsraum, wenig später

In einem weißen Raum mit weißem Tisch, zwei weißen Stühlen und einer großen Spiegelwand, offensichtlich einem Einwegspiegel, stehen Grubitz und Wiesler.

OBERSTLEUTNANT GRUBITZ Wiesler, du weißt, um was es hier geht.

WIESLER Ich werde dich nicht enttäuschen.

OBERSTLEUTNANT GRUBITZ (*ungerührt*) Es geht um deine Zukunft.

Grubitz öffnet die Tür und wendet sich an den Wächter, der davorsteht.

OBERSTLEUTNANT GRUBITZ Bringen Sie die Gefangene Nr. 662 herein. Sofort.

Kurz bevor Grubitz den Raum verläßt, wendet er sich noch einmal zu Wiesler um.

OBERSTLEUTNANT GRUBITZ Bist du noch auf der richtigen Seite?

Wiesler blickt ihn an.

WIESLER (*mit großer Aufrichtigkeit*) Ja.

OBERSTLEUTNANT GRUBITZ Dann versau es nicht noch einmal.

Hohenschönhausen, Kontrollraum

Grubitz betritt den Raum, der hinter dem Spiegel liegt. Eine Stenotypistin steht mit Block bereit. Wiesler blickt durch den Spiegel hindurch nervös in Grubitz' Richtung.

Hohenschönhausen, zentraler Befragungsraum

Hier ist der Blick zu Grubitz nur ein Blick in den Spiegel. Nach einigen Momenten klopft es an der Tür. Als der

Wächter und Christa hereinkommen, sitzt Wiesler mit dem Rücken zu ihnen, so daß sie sein Gesicht nicht sehen können. Der Wächter läßt Christa auf dem zweiten der beiden Stühle Platz nehmen.

WÄCHTER Soll ich die Gefangene anketten?

WIESLER (*ohne sich umzudrehen*) Sie ist keine Gefangene mehr, sondern eine IM. Gehen Sie.

Der Wächter salutiert, obwohl Wiesler es nicht sehen kann, und geht.

CHRISTA-MARIA (*um einen spielerischen Ton bemüht*) Sie sind also mein »Führungsoffizier«. Dann führen Sie mich!

Wiesler antwortet nicht. Es ist offensichtlich, welchen Kampf er mit sich selbst austrägt. Doch dann entschließt er sich. Auf seinem Drehstuhl wendet er sich langsam und mit steinernem Gesicht Christa zu. Ungläubig starrt sie ihn an. Sie erkennt ihn. Sie schweigt. Es ist ein harter Schlag für sie.

Hohenschönhausen, Kontrollraum, zur gleichen Zeit

Grubitz zieht die Augenbrauen zusammen und beobachtet die beiden aufmerksam.

Hohenschönhausen, zentraler Befragungsraum

Wiesler sieht auf seine Uhr.

WIESLER Noch zehn Stunden.

Christa blickt auf.

WIESLER Nein, eigentlich in neuneinhalb Stunden wird Herr Roessing vor Ihr Publikum treten und ansagen, daß Sie wegen einer Unpäßlichkeit leider nicht spielen können. Und das wird das letzte Mal sein, daß man in der Theaterwelt von Ihnen gesprochen hat ... Wollen Sie das?

Christa sieht blaß und erschöpft und plötzlich auch sehr jung aus. Sie schüttelt nur den Kopf.

WIESLER Sagen Sie uns, wo die Beweisstücke versteckt sind.

Christa schweigt.

WIESLER Georg Dreyman werden wir sowieso verhaften.

Christa schaut müde auf, ungläubig.

CHRISTA-MARIA Es gibt keine Beweise.

Wiesler blickt sie streng an.

CHRISTA-MARIA Es gibt keine Schreibmaschine. Das habe ich erfunden.

WIESLER Ich hoffe nicht. Denn dann müssen wir auch Sie hierbehalten. Eine falsche Aussage beim Verhör ist gleichbedeutend mit Meineid. Das heißt ungefähr zwei Jahre Haft.

Sie ist getroffen.

WIESLER Dreyman muß sowieso ins Gefängnis. Dafür genügt Ihre Aussage und das belastende Material, das wir bereits jetzt in der Wohnung gefunden haben. Retten Sie jetzt wenigstens sich selber. Sie würden nicht glauben, wie viele Menschen wegen sinnlosem Heroismus hier im Gefängnis sitzen. Denken Sie an Ihr Publikum.

Die besondere Bedeutung dieses letzten Wortes ist ihr klar. Sie wirft ihm einen verletzten Blick zu.

Hohenschönhausen, Kontrollraum, zur gleichen Zeit

Grubitz wendet sich zur Stenotypistin.
OBERSTLEUTNANT GRUBITZ Denken Sie an Ihr Publikum ...
   haha ... dem fällt wirklich immer etwas ein.

Hohenschönhausen, zentraler Befragungsraum

Hier lacht niemand.
WIESLER (*hypnotisch monoton, eindringlich*) Denken Sie
   daran, was der Staat für Sie getan hat, Ihr ganzes Leben
   lang. Jetzt können Sie etwas für den Staat tun. Und er
   wird es Ihnen danken. Seien Sie gut zu sich selber. Sagen
   Sie mir, wo die Maschine versteckt ist. Dreyman wird
   nie etwas erfahren. Ich lasse Sie sofort frei, und wir
   schlagen erst zu, wenn Sie bei ihm sind. Erstaunt zu
   spielen – das werden Sie ja wohl schaffen. Und heute
   abend sind Sie wieder im Theater. Vor Ihrem Publikum.
   In Ihrem Element. Halbe Geständnisse haben doch
   überhaupt keinen Sinn. Machen Sie reinen Tisch, reines
   Herz. Wo sind die Unterlagen?
Christa nickt.
WIESLER Wo sind sie?
Christa nickt.
CHRISTA-MARIA Sie sind in der Wohnung, unter der Tür-
   schwelle. Zwischen dem Parkett.
Jetzt blickt Wiesler betroffen.

Hohenschönhausen, Kontrollraum, zur gleichen Zeit

*Grubitz ist verblüfft. Er beobachtet die beiden weiterhin
durch die große Scheibe. Ihre Stimmen sind über Lautsprecher zu hören.*

CHRISTA-MARIA (*über Lautsprecher*) Zwischen Arbeits-
zimmer und Flur. Man kann sie abheben.
*Wiesler zeichnet auf einem Blatt Papier den Grundriß
des Zimmers auf und schiebt ihn zu Christa hinüber.*
WIESLER (*über Lautsprecher*) Meinen Sie hier? Machen
Sie ein X auf die genaue Stelle.
Christa nimmt den Stift.

Hohenschönhausen, Hof, Tag

*Christa wird von ihrem Wächter zu dem als Fischtranspor-
ter getarnten Gefangenenwagen geführt. Sie trägt keine
Handschellen mehr. Bevor sie in den Wagen steigt, kommt
Grubitz auf sie zu. Er schaut sie genau an.*
OBERSTLEUTNANT GRUBITZ Sie sehen ein bißchen mitgenommen aus. Vergessen Sie nicht: Sie sind jetzt IM. Das
bedeutet Pflichten wie vollkommene Konspiration –
Verschwiegenheit. Aber auch Privilegien.
*Ohne daß der Wächter etwas merkt, schiebt er ihr das
kleine braune Röhrchen »Aponeuron« zu. Dann macht
er dem Wächter ein Zeichen, sie in den Wagen zu ver-
frachten. Die Tür wird von außen verriegelt; das große
Stahltor öffnet sich, und der Wagen fährt hinaus. Grubitz blickt ihm einen Moment nach, dann wendet er sich
zu einem Adjutanten.*
OBERSTLEUTNANT GRUBITZ Rufen Sie mir Wiesler.
ADJUTANT Hauptmann Wiesler hat das Gelände bereits
verlassen, Genosse Oberstleutnant.
Grubitz blickt ein bißchen erstaunt.
OBERSTLEUTNANT GRUBITZ Ach so? Gut, Sie können ab-
treten.
*Einen Moment lang sieht Grubitz nachdenklich vor sich
hin. Dann schüttelt er den Gedanken ab und geht wieder zum Gebäude zurück.*

Straße vor Dreymans Haus, Tag

Dreyman kommt mit Hauser zusammen vor seinem Haus an. Er blickt es an wie einen Feind, während er die Haustür aufschließt. Hauser merkt es.

HAUSER Was macht ein Reiter, wenn er abgeworfen wird? Er steigt gleich wieder auf. Geh rein und schlaf, Georg. Es hat nichts mit dem Haus zu tun, was geschehen ist.

Dreyman drückt seinem Freund zum Abschied den Arm.

DREYMAN Nein, aber mit dem ganzen Land.

Er lächelt ihn traurig an, winkt noch einmal und verschwindet im Haus. Im Hintergrund des Eingangsbereichs scheint ein Schatten vorbeizuhuschen.

Dreymans Treppenhaus

Während Dreyman zur Treppe geht, sieht man Wiesler in der Ecke des Vorraums stehen; genau dort, wo Dreyman stand, als Christa von Hempf zurückkam, versteckt sich jetzt Wiesler, drückt sich lautlos gegen die Wand. Als Dreyman verschwunden ist, eilt er durch die Haustür ins Freie

Berliner Straße, Tag, später

Der harmlos aussehende Gefangenenwagen kommt in einer staubigen, verlassenen Straße zum Stehen. Der Fahrer steigt aus und öffnet die verriegelte Tür. Christa tritt mit etwas unsicheren Schritten auf den Fußweg. Wortlos steigt der Fahrer wieder in seine Kabine und fährt ab. Christa bleibt allein zurück. Nach einigen Momenten geht sie los. Ihre elegante Kleidung mit den hochhackigen Schuhen wirkt sehr unpassend.

Straße vor Dreymans Haus, Tag, später

Wieslers Auto parkt auf der gegenüberliegenden Straßen-
seite; von dort aus sieht man Christa erschöpft vor dem
Haus ankommen.

Dreymans Wohnung, Tag, zur gleichen Zeit

Dreyman liegt auf seinem Bett, aber er kann nicht schlafen.
Er starrt an die Decke. Plötzlich hört er einen Schlüssel im
Schloß. Er erschrickt, steht auf und geht auf den Flur. Zu
seinem Erstaunen steht dort Christa.
DREYMAN Christa!
CHRISTA-MARIA (*lachend*) Komm nicht näher! Ich war bei
den Kerschners in Brandenburg – und es gab kein Was-
ser. Ich muß erst duschen.
Sie verschwindet im Bad. Einen Moment bleibt er im
Flur stehen, aber als er das Wasser rauschen hört, folgt
er ihr ins Bad.

Dreymans Wohnung, Badezimmer

Er sieht sie duschen und tritt ganz nah heran. Sie steht von
ihm abgewandt, während sie sich einseift. Er kann deutlich
ihre Narbe erkennen. Voller Melancholie und Liebe blickt
er sie an.

Straße vor Dreymans Haus, zur gleichen Zeit

Diesmal führt Grubitz die Gruppe siegesgewiß selbst an.
Wiesler ist zu ihnen herübergekommen.
OBERSTLEUTNANT GRUBITZ Du hattest es ziemlich eilig,
von Hohenschönhausen loszufahren.

WIESLER Noch läuft ja der OV ›Lazlo‹.

*Grubitz mustert ihn. Er traut seinem Freund überhaupt
nicht mehr.*

OBERSTLEUTNANT GRUBITZ Sie sind beide in der Wohnung?

*Wiesler nickt. Er reicht Grubitz einen braunen DIN-A5-
Umschlag.*

WIESLER Der Bericht für heute.

*Grubitz hält den Umschlag in der Hand wie ein wichti-
ges Dokument.*

OBERSTLEUTNANT GRUBITZ (*feierlich und fast wehmütig*)
Der letzte Tagesbericht des OV ›Lazlo‹.

*Er faltet ihn, verstaut ihn in der Innentasche seines
Mantels und betritt das Haus. Hinter ihm sind seine vier
Männer. Wiesler bleibt zurück, um den Eingang zu
überwachen.*

Dreymans Wohnung, Badezimmer

*Wasserdampf beginnt sich auf dem Badezimmerspiegel
niederzuschlagen. Dreyman sieht in den Spiegel.*

DREYMAN Warum hast du mich nicht angerufen?

CHRISTA-MARIA (*aus der Dusche*) Wie?

DREYMAN (*laut*) Warum du nicht angerufen hast?

CHRISTA-MARIA (*aus der Dusche*) Ich war auf dem Land
… reichst du mir die Nagelbürste?

Er tut es.

DREYMAN Die Stasi war hier. Sie hat die Wohnung durch-
sucht.

CHRISTA-MARIA (*gegen das Rauschen*) Wer war da?

*In diesem Augenblick klopft es hart an der Tür, gleich-
zeitig wird geklingelt. Das hört auch Christa genau. Sie
dreht schnell das Duschwasser ab.*

STASI-MANN (*durch die Wohnungstür*) Staatssicherheit.
Öffnen Sie die Tür.

DREYMAN (*zu Christa-Maria*) Bleib hier.

Er verläßt das Badezimmer und schließt die Tür hinter sich. Dann geht er zur Wohnungstür und öffnet mit den immer langsamer werdenden Bewegungen eines Mannes, der fühlt, daß sein Schicksal besiegelt ist. Grubitz kommt herein, gefolgt von seinem Stoßtrupp.

OBERSTLEUTNANT GRUBITZ Guten Tag, Genosse Dreyman. Oberstleutnant Grubitz vom Ministerium für Staatssicherheit. Ich wollte mich lediglich vergewissern, daß die Arbeit gestern nacht sauber ausgeführt wurde. Beginnen wir mit dem Arbeitszimmer.

Sie gehen ins Arbeitszimmer.

OBERSTLEUTNANT GRUBITZ Männer, blättern Sie vorsichtig die Bücher nach Zetteln durch. Ich schaue mich derweil im Raum um.

Das ganze Manöver verläuft viel sanfter als in der Nacht, wirkt dadurch aber noch bedrohlicher. Dreyman schaut düster zu. Oberstleutnant Grubitz geht durch den Raum, tastet die Wand ab, blickt auf den Boden. Auf einmal geht er an der Stelle, wo das Geheimfach ist, in die Knie und betastet die Schwelle.

OBERSTLEUTNANT GRUBITZ Was haben wir denn hier? Diese Schwelle ist nicht ganz koscher, wie die Juden sagen. Könnte es ein Geheimfach sein?

Grubitz ist kein guter Schauspieler, und niemand könnte ihm glauben, daß er das Fach ohne einen Hinweis entdeckt hat. Er blickt triumphierend zu Dreyman auf, der erstarrt. Dann wandert sein Blick weiter: Christa im weißen Bademantel ist in den Vorraum getreten. Jetzt sieht Dreyman sie an, voller Mißtrauen und Härte. Ihr Blick hält seinem nicht stand. In dem Moment bricht für Dreyman eine Welt zusammen.

OBERSTLEUTNANT GRUBITZ (*zu einem seiner Männer*) Geben Sie mir Ihr Messer.

Grubitz setzt das Messer an der Schwelle an. Christa

stürmt hinaus. Sie hält es nicht mehr aus. Einer der
Männer will sie aufhalten.
OBERSTLEUTNANT GRUBITZ Laßt sie. Sie steht hier nicht
unter Verdacht.
Die Wohnungstür fällt mit einem Knall ins Schloß. Mit
dem Messer hebelt Grubitz die Schwelle über dem Ge-
heimfach nach oben ab. Mit süffisantem Lächeln nimmt
er sie weg. Zur Verblüffung aller ist das Fach leer.
OBERSTLEUTNANT GRUBITZ Die Schauspielerin!

Straße vor Dreymans Wohnhaus, zur gleichen Zeit

Plötzlich sieht Wiesler Christa barfuß im Bademantel aus
der Haustür rennen. Sie ist in Tränen aufgelöst. Einen Mo-
ment lang wartet sie am Straßenrand, bis ein kleiner Last-
wagen mit großer Geschwindigkeit die Straße entlang-
fährt. In diesem Augenblick tritt sie vor. Es folgt ein furcht-
barer Knall. Passanten schreien auf. Christa fliegt einige
Meter weit über den Asphalt. Der Lastwagen kommt mit
laut quietschenden Bremsen zum Stehen.

Dreymans Wohnung

Eine furchtbare Ahnung überkommt Dreyman, als er die
Geräusche hört. Er stürmt zum Fenster, dann rennt er zur
Wohnungstür hinaus. Einer der Männer will ihn aufhalten.
Aber Grubitz, der ebenfalls ans Fenster getreten ist, bedeu-
tet ihm, er solle ihn gehen lassen.

Straße vor Dreymans Wohnhaus, zur gleichen Zeit

Eine Gruppe von betroffenen Passanten hat sich um Christa versammelt, aber keiner weiß so recht, was er tun soll. Wiesler drängt sich nach vorn und kniet sich neben sie. Durch ihre blutverschmierten Augen erkennt sie ihn.

CHRISTA-MARIA Ich war zu schwach …
Wiesler blickt auf ihren zerschmetterten Körper.

CHRISTA-MARIA Ich kann nie mehr gutmachen, was ich getan habe.

WIESLER *(eindringlich flüsternd)* Es gibt nichts gutzumachen, verstehst du? Es gibt nichts … Ich habe die Ma- …
Bevor er weiterreden kann, hat sich Dreyman durch die Menge gekämpft. Wiesler zieht sich zurück. Dreyman nimmt ihren blutenden, kraftlosen Körper in die Arme.

DREYMAN *(flüstert panisch)* Verzeih mir! Verzeih mir! Verzeih mir!
Sie dreht ihren Kopf, deutet mit dem blutigen Finger auf einen der Umstehenden, sucht Wiesler. Dreyman versteht nicht und schaut gleich wieder zu ihr.

CHRISTA-MARIA Ich …
Da fällt ihr Kopf nach hinten – sie ist tot. Dreyman drückt ihren leblosen Körper an sich. Fast hilfesuchend

*schaut er zu den Umstehenden auf. Sein Blick begegnet
für einen Moment dem Blick Wieslers. Erkennt er, daß
hier jemand mit ihm leidet wie kein anderer? Auch Grubitz ist jetzt heruntergekommen und beobachtet die
Szene aus einiger Entfernung. Er betrachtet die Gruppe,
in der auch Wiesler steht, dann blickt er zum Haus zurück und überlegt. Der Kommandoführer tritt an ihn
heran.*

OBERSTLEUTNANT GRUBITZ (*ohne sich umzudrehen*) Fah-
    ren Sie mit Ihren Männern zurück in die Zentrale. Der
    Einsatz ist beendet.

*Grubitz geht an den Menschen vorbei bis zu Dreyman
vor, der seinen Kopf auf Christas Körper gelegt hat und
sein Umfeld kaum mehr mitbekommt.*

OBERSTLEUTNANT GRUBITZ Genosse Dreyman. Ich habe
    den Einsatz beendet. Wir haben wohl einen falschen
    Hinweis bekommen. Entschuldigen Sie.

*Dreyman reagiert nicht. Grubitz winkt Wiesler heran,
der ihn in seinem Auto nach Hause fahren soll.*

Wieslers Auto, später

*Wiesler und Grubitz sitzen schweigend nebeneinander und
fahren durch die Straßen und Alleen. Grubitz nimmt seine
Zeitung aus der Tasche und liest. Dann läßt er sie sinken
und bricht das Schweigen.*

OBERSTLEUTNANT GRUBITZ Was ist da geschehen, hm?

WIESLER Ich war heute nicht mehr an den Geräten. Ich
    weiß es nicht.

OBERSTLEUTNANT GRUBITZ Und was glaubst du, hm?

WIESLER Ich glaube, es war nie etwas in der Wohnung.

OBERSTLEUTNANT GRUBITZ Dann hat man uns also doch
    verraten?

Die Vieldeutigkeit dieses Satzes bleibt im Raum stehen.

Bald sind sie im Villenviertel am Müggelsee angelangt.
Sie halten an Grubitz' Haus, einer modernen kleinen
Villa, die in Reih und Glied mit anderen steht. Sie
schweigen einander noch einen Moment an. Dann steigt
Grubitz aus. Er geht zum Gartentor, winkt seiner Frau
zu, die hinter dem Küchenfenster zu sehen ist, kehrt
dann aber noch einmal um und tritt zu Wiesler. Der
dreht die Scheibe herunter.

OBERSTLEUTNANT GRUBITZ Über eines sollten Sie sich
keine Illusionen machen, Wiesler: Ihre Karriere ist vorbei. – Auch wenn du natürlich zu schlau warst, um Spuren zu hinterlassen. – Sie werden höchstens noch in
irgendeinem Kellerloch Briefe aufdampfen bis zu Ihrer
Rente. Das sind die nächsten fünfundzwanzig Jahre.
Fünfundzwanzig Jahre. Eine lange Zeit.
Wiesler nickt still. Grubitz geht auf das Haus zu. Da be-
merkt Wiesler, daß Grubitz seine Zeitung auf dem Bei-
fahrersitz vergessen hat. Die Schlagzeile dieser Ausgabe
vom 11. März 1985 lautet: »Neuer Generalsekretär der
KPdSU gewählt: Michail S. Gorbatschow«. Wieslers
Auto fährt los und aus dem Bild.

Titeleinblendung auf Schwarz: »Vier Jahre und acht Monate später«

Normannenstraße, Ministerium für Staatssicherheit,
Abend

Ganz wie Grubitz prophezeit hat, sitzt Wiesler in einem
dunklen Kellergewölbe an einer großen Maschine, die mit
einem speziellen Kaltdampfsystem 600 Briefumschläge
pro Stunde zu öffnen vermag. Wie ein Fabrikarbeiter legt
er mechanisch die Umschläge ein. Unten fallen sie geöffnet

*in einen großen Behälter. Zu seiner Rechten und Linken
sind ebensolche Arbeitsplätze eingerichtet; links sitzt Stigler, der in der Kantine des Ministeriums für Staatssicherheit
den Honecker-Witz erzählt hat. Bei dem Lärm und der
Hitze kann Stigler zwar keine Witze erzählen, doch arbeitet
er auch hier nicht ganz nach Vorschrift: Über den Ohr-
knopf eines Kopfhörers hört er während der Arbeit Radio.
Auf einmal verändert sich beim Zuhören sein Gesichtsaus-
druck. Er vergißt die Briefe herauszunehmen, die sich in
dem Behälter anstauen. Wiesler blickt ihn fragend an. Stigler greift ihn am Arm.*

STIGLER (*den Maschinenlärm übertönend*) Die Mauer ist
   offen!

   *Wiesler blickt ihn so entgeistert an, daß Stigler seinen
   Knopf aus dem Ohr nimmt und ihn Wiesler reicht.
   Wiesler hört kurz zu, lange genug, um zu begreifen, daß
   Stigler recht hat. Dann werden seine Gesichtszüge ganz
   entspannt. Er gibt Stigler den Knopf zurück, greift an
   den Hauptschalter seiner Maschine und stellt sie ab. Er
   erhebt sich und verläßt den Raum. Die Zurückgebliebe-
   nen schauen sich an und tun es ihm nach. Der Motor der
   Stasi läuft stotternd aus.*

Titeleinblendung auf Schwarz: »Zwei Jahre später«

Gerhart-Hauptmann-Bühne, Abend

*Gleiches Stück, fast ein Jahrzehnt später. Dreyman wird
immer noch gespielt, aber in einer neuen Inszenierung. Die
Fabrikhalle des Stückes ist nun ein weißer Raum, mit sechs
abstrakten Toren, vor denen sechs Frauen mit schwarzen,
fließenden Kapuzengewändern stehen. Rechts steht frei in
einem hellen Lichtkegel Marta: Eine schwarze Frau in weißer Prophetentoga spielt sie mit Verve.*

MARTA Nein, Schwester, glaube mir. Er ist gestürzt. In seinen Tod. Das große, starke Rad hat ihn zermahlen. Ich sehe es und würd' doch jeden Schrecken lieber sehen.

Gerhart-Hauptmann-Bühne, Parterre

Das Theater sieht ein bißchen glanzvoller aus als vor der Wende, was hauptsächlich an dem eleganten Premierenpublikum liegt. Georg Dreyman sitzt diesmal nicht in der Loge, sondern im Parkett, fünfte Reihe, Mitte. Auch ist er anders gekleidet als früher, in einen Armani-Anzug, für den er eigentlich zu schwer und vielleicht auch ein bißchen zu alt ist. Neben ihm sitzt Tamara, eine sehr attraktive Mittdreißigerin mit glatten schwarzen Haaren à l'égyptienne, die ein elegantes Paillettenkleid trägt. Sie merkt, daß Dreyman nervös ist, legt ihm die Hand auf das Bein und blickt ihn bewundernd und liebevoll an. Er versucht ihr zuzulächeln. Es fällt ihm schwer.

MARTA (*off-screen*) Die treuen Männer stehen um ihn wie ihr um mich und werfen ob der hohen Sonne nur sieben kurze Schatten noch auf seinen edlen, toten Leib. Wer kann uns diesen Mann ersetzen? spricht einer. Warum bleibt mir dies Sehen nicht erspart? Elena, geh nach

Haus und lege Trauer an. Ich werde deine Schicht zu Ende führen.

Auf einmal wird Dreyman die Situation unerträglich, er steht auf und kämpft sich durch die Sitzreihe nach drau-ßen. Die vielen gutgekleideten Menschen, die zwischen seinem Platz und dem Ausgang sitzen, müssen sich erhe-ben, tun es für den großen Dichter aber gern. Es wird ein bißchen getuschelt, man blickt ihm nach. Er verläßt den Theaterraum durch die mit Samt bespannten Türen.

Gerhart-Hauptmann-Bühne, Gänge

Dreyman lehnt sich gegen eine barocke Säule, schließt die Augen und atmet durch. Da erklingt eine Stimme, die er aus seinen Alpträumen kennt.

HEMPF *(off-screen)* Zu viele Erinnerungen, wie?

Auf einem der roten, weichen Barockbänkchen sitzt, präsent wie eh und je, Minister a. D. Bruno Hempf. Dreyman ist wie gelähmt.

HEMPF Mir geht es genauso. Ich mußte auch raus.

Hempf trägt einen teuren italienischen Doppelreiher und glänzende braune Lederschuhe. Er erhebt sich und tritt zu Dreyman.

HEMPF Das war ein gutes Stück, »Gesichter der Liebe«. Habe ich Ihnen ja schon damals gesagt.

Dreyman ist immer noch sprachlos.

HEMPF Und jetzt fragen Sie sich sicher, was ich beruflich mache, im neuen Deutschland, eh?

Dreyman blickt ihn an, antwortet aber nicht.

HEMPF Kommen Sie, es interessiert Sie, Dreyman. Ich kenne Sie.

Dreyman fragt nicht nach, Hempf antwortet trotzdem.

HEMPF Also, was ich mache? Richtiges, kapitalistisches Business! Hahaha! Aber immerhin mit den russischen Freiheitskämpfern. Das macht's doch besser, oder?

DREYMAN (*trocken, etwas bitter*) Keine Politik mehr?

Hempf mißversteht die Ironie und antwortet ganz ernst und nachdenklich.

HEMPF Nein, das Kapitel Politik ist fürs erste geschlossen. Aber ich habe die Staffel an meinen Sohn weitergereicht. Der ist jetzt Abgeordneter für die PDS.

DREYMAN Ich weiß.

HEMPF Aber was hört man von Ihnen? Nichts mehr geschrieben seit der Wende? Was machen Sie denn den ganzen Tag?

Dreyman will über seine Schreibprobleme nicht sprechen, schon gar nicht mit Bruno Hempf.

HEMPF Es wäre schade, wenn Sie wirklich nie wieder schreiben, nach allem, was unser Land in Sie investiert hat. Aber ich kann Sie verstehen, Dreyman, wirklich. Was soll man auch schreiben in dieser BRD: nichts mehr da, woran man glauben kann, nichts mehr, wogegen man rebellieren kann.

Er sieht Dreyman an.

HEMPF Es war schön in unserer kleinen Republik. Das verstehen viele erst jetzt.

Das Gespräch ist beendet. Dreyman will gehen. Da fällt ihm ein, daß es noch eine Frage gibt, die er stellen muß.

DREYMAN Eine Sache möchte ich Sie doch noch fragen.

HEMPF Aber alles, mein lieber Dreyman! Alles!

DREYMAN (*leise*) Warum wurde ich eigentlich nie abge-
hört? Wie man liest, haben Sie doch jeden überwachen
lassen. Warum nicht mich?

*Hempf blickt um sich, um zu sehen, ob nicht doch
irgendwo jemand mithört – old habits die hard. Dann
tritt er näher an Dreyman heran.*

HEMPF Sie wurden komplett überwacht. Wir wußten alles
über Sie.

DREYMAN (*ironisch, ungläubig*) Komplett überwacht, sagen Sie?

HEMPF Komplett verwanzt – das volle Programm.

DREYMAN Das kann nicht sein.

*Hempf kommt ganz nah, so daß es Dreyman körperlich
unangenehm ist.*

HEMPF (*flüsternd*) Schauen Sie doch bei Gelegenheit mal
unter Ihre Lichtschalter. Wir wußten alles über Sie.
(*noch leiser*) Wir wußten sogar, daß Sie es unserer kleinen Christa nicht richtig besorgen konnten.

*Hempf grinst ihn zornig-lüstern und auch ein bißchen
verzweifelt an. Dreyman mustert ihn wie einen Gorilla
im Zoo, mit beinahe wissenschaftlichem Interesse.*

DREYMAN (*fast ungläubig*) Daß Leute wie Sie wirklich mal
ein Land geführt haben …

*Er läßt Hempf stehen und geht den Gang entlang zum
Ausgang.*

Berliner Straßen, Nacht

*Mit großer Entschlossenheit geht Dreyman durch die jetzt
sehr viel greller wirkenden Berliner Straßen, vorbei an einem zahnlosen Bettler.*

Dreymans Wohnung, Abend

*Er kommt in seine Wohnung und sieht sich alles ganz
genau an. Ihm fällt nichts auf. Dann sucht er einen Schrau-
benzieher und montiert recht unbeholfen einen Lichtschalter ab. Er stochert darin herum, bekommt sogar einen kleinen Schlag, doch dann entdeckt er etwas: ein kleines
Mikrophon an einem Kabel. Er zieht an dem Kabel; es
reißt die Tapete auf und führt zur Zimmerecke. Er zieht
weiter daran. Der Stuck bröckelt, die Tapete reißt. Das Kabel führt zum nächsten Lichtschalter. Dort befindet sich
ein anderes Mikrophon, an dem wieder ein Kabel hängt,
und so weiter, durch alle Zimmer hindurch. Sogar das Klo
hat seine eigene Wanze. Dreyman hat alles herausgerissen:
Die Wohnung ist übersät mit Putzbrocken und Tapetenfet-
zen. Über allem liegt eine staubige Schicht von Putzschnee
und eingetrocknetem Kleister. Die schwarzen Kabel hängen überall heraus. Dreyman setzt sich auf den Boden, um
nachzudenken.*

Normannenstraße, Gauck-Behörde, nächster Tag

*Mit einem unbehaglichen Gefühl betritt Dreyman den Hof
der ehemaligen Zentrale des MfS. Es sieht noch genauso
aus wie damals, nur daß ein riesiges weißes Plastikbanner
unter einer Reihe von Fenstern hängt, auf dem mit roten
Lettern steht:* »BESUCHER WILLKOMMEN!«

Normannenstraße, Gauck-Behörde, Lesesaal,
wenig später

*Eine junge Frau führt Dreyman in den Lesesaal, eine Art
Klassenzimmer, wo noch ein halbes Dutzend anderer
Leute an Tischen sitzen und in ihren Akten lesen.*

BSTU-MITARBEITERIN Sie müssen sich einen Moment ge-
duldan. In Ihrem Fall sind es die eine oder andere Akte
mehr.

Dreyman setzt sich und beobachtet die anderen. Ein äl-
terer Herr im Anzug schüttelt nur still den Kopf, wäh-
rend er Seite um Seite umblättert. Die ältere Frau neben
ihm weint leise in ihr Taschentuch. Ein Mann von Mitte
30 in alternativer Kleidung schaut immer wieder auf, at-
met tief durch und blickt dann wieder in seine Papiere.

Normannenstraße, Gauck-Behörde, Gänge

Die junge Frau geht durch die Gänge der Zentrale, bis sie
ins Archiv kommt.

Normannenstraße, Stasi-Archiv

Das Archiv scheint endlos: Silbergrüne Stahlregale, die bis
zur hohen Decke reichen, sind bis zum Rand gefüllt mit
braunen und grauen Ordnern. Wie die Nibelungen wuch-
ten die Mitarbeiter der Behörde die Ordner auf kleine Kar-
ren und bringen sie von einem Ort zum nächsten. Die
junge Frau marschiert zielstrebig durch das stählerne La-
byrinth, blickt auf ihre Liste und zählt ab.

BSTU-MITARBEITERIN 223, 224 ... 225.

Sie legt die Liste weg und betätigt einen großen Hebel,
durch den der Schrank unter Getöse auf einer Schiene so
zur Seite geschoben wird, daß man an die Ordner her-
antreten kann. Sie nimmt wieder die Liste zur Hand,
zählt Anfangs- und Endpunkt ab.

Normannenstraße, Gauck-Behörde, Lesesaal, etwas später

Die junge Frau kommt wieder in den Lesesaal, mit nur einer kleinen Akte unter dem Arm. Dreyman schaut ein bißchen betreten, gleichzeitig aber auch belustigt. Ein anderer Aktenleser blickt verächtlich-abschätzig auf jemanden, dessen Akte nur so klein ist. Aktenneid.

DREYMAN *(flüsternd)* Na, war wohl doch nicht so viel?

In diesem Augenblick geht die Tür auf, und ein Träger im blauen Overall rollt einen fast vollen Stapelkarren vor Dreymans Tisch. Darauf befinden sich anderthalb Meter an Akten.

BSTU-TRÄGER Alle Achtung!

Dreyman ist erschüttert und sehr verwundert. Mit großer Geschicklichkeit lädt der Mann seine Last vom Karren, stapelt sie zu einem stabilen Turm und geht.

BSTU-MITARBEITERIN Ich habe chronologisch stapeln lassen. Die ältesten Akten hier oben, die neueren diese hier.

Dreyman wartet, bis die junge Frau gegangen ist, dann greift er sich den ersten Ordner heraus.

AGENTENSTIMME *(voice-over)* »Operativvorgang ›Lazlo‹ gegen Georg Dreyman, Deckname ›Lazlo‹ eröffnet. Hinweis auf Verdacht kam durch Minister Bruno Hempf.«

Dreyman ist verblüfft.

DREYMAN Hempf!

*Er blättert etwas weiter, dann nimmt er den nächsten
Ordner zur Hand.*

WIESLER *(voice-over)* »›Lazlo‹ bekommt von einem Kurier
ohne behördliche Genehmigung täglich die *Frankfurter
Allgemeine Zeitung* ins Haus geliefert. Schlage vor, den
Kurier und ›Lazlo‹ unbehelligt zu lassen, damit kein
Verdacht auf Überwachung entsteht.«

*Daneben ein handschriftlicher Vermerk von Grubitz –
»Genehmigt« – und das Datum. Dreyman blättert weiter. Seine Hand zittert.*

WIESLER *(voice-over)* »Jerska liest ›Lazlo‹ ein Gedicht von
B. Brecht vor. Wegen konterrevolutionären Inhalts Vermutung auf Westausgabe.«

Dreyman blättert weiter.

WIESLER *(voice-over)* »›Lazlo‹ und CMS packen Geschenke aus. Danach vmtl. Geschlechtsverkehr.«

*Dreyman nimmt den nächsten Band zur Hand. Er muß
eine Hand mit der anderen festhalten, weil sie vor Aufregung so zittern.*

UDO *(voice-over)* »›Lazlo‹ bekommt Besuch von Paul
Hauser und einem Freund Hausers (aus NSW?). Ihre
Gespräche scheinen politischen Inhalts zu sein. Sie wol-
len etwas zusammen schreiben.«

WIESLER *(voice-over)* »Bei dem Besuch handelt es sich um
Paul Hausers Onkel aus Westberlin. Sie erzählten ihm
von dem Theaterstück, das Hauser und ›Lazlo‹ für den
40. Jahrestag der DDR schreiben wollen.«

Und dann, datiert auf denselben Tag:

WIESLER *(voice-over)* »Beantrage, den OV ›Lazlo‹ von
heute an alleine weiterführen zu dürfen. Begründung:
Zu geringer Verdachtsmoment gegen ›Lazlo‹.«

*Darunter steht wieder »Genehmigt« mit Grubitz'
Unterschrift und Stempel. Dreyman blättert weiter.*

OBERSTLEUTNANT GRUBITZ (*voice-over*) »Wir erwarten genauere Angaben zum geplanten Jubiläumsstück. Inhaltsangabe etc.«

WIESLER (*voice-over*) »Inhalt des ersten Aktes: Lenin ist in ständiger Gefahr. Trotz steigenden Drucks von außen bleibt er bei seinen revolutionären Plänen ... (*etwas weiter*) Lenin ist sehr erschöpft.«

Dreyman kann nicht fassen, wie sehr er geschützt wurde. Er nimmt einen Ordner nach dem anderen zur Hand. Immer wieder am Ende jeder Seite, zusammen mit der Uhrzeit, das gleiche Kürzel, mit Uhrzeit: HGW XX/7 3:40, HGW XX/7 23:00, HGW XX/7 6:20.
Dreyman ist außer sich vor Aufregung. Jetzt interessiert ihn der letzte Ordner, der ganz unten im Stapel ist. Er versucht, ihn vorsichtig herauszuziehen; dabei stürzt der ganze Turm um und bildet eine Aktenstraße bis zu dem Stuhl des Mannes, der Dreyman vorhin belächelt hat. Dreyman winkt entschuldigend. Er nimmt den Ordner zur Hand. Und findet Christas Erklärung.

CHRISTA-MARIA (*voice-over*) »... Georg Dreyman ist der Autor des »SPIEGEL«-Artikels: ›Von einem der rübermachte‹ ... Mithelfer sind ... der Artikel wurde in seiner Wohnung recherchiert und zusammengeschrieben ... verpflichte ich mich, als IM für das MfS zu arbeiten, bis der Sachverhalt aufgeklärt ist ... gewählter Deckname ›Marta‹ ...«

OBERSTLEUTNANT GRUBITZ (*voice-over*) »Christa-Maria Sieland wurde am 10. März um 21:20 auf Hinweis von Minister Hempf wegen Drogenmißbrauchs inhaftiert und am 11. März um 13:50 wieder in die Stadt gebracht, nachdem sie das Versteck von ›Lazlos‹ Unterlagen offenbart und die IM-Verpflichtung (Deckname ›Marta‹) unterschrieben hat ...«

DREYMAN Aber wann hat sie denn dann ...?

Da steht noch ein Nachtrag von Grubitz.

OBERSTLEUTNANT GRUBITZ (*voice-over*) »Infolge der er-
folglosen Hausdurchsuchung am 11. März 1985 und
des Unfalltodes der IM ›Marta‹ wird der OV ›Lazlo‹
eingestellt. Beigefügt: letzter Tagesbericht von HGW.
Zwischennotiz: Beförderungssperre von HGW wird
heute wirksam. Pflichtversetzung in die Abteilung M,
verbunden mit der Empfehlung, ihm fortan keine Aufgaben mit Eigenverantwortung anzuvertrauen.«

Dreyman blättert zur letzten Seite des Ordners. Sie ist
mit der Hand geschrieben, und jemand hat sie zweimal
gefaltet.

WIESLER (*voice-over*) »10:50 Aufnahme des Kontrollpo-
stens vor ›Lazlos‹ Haus. 13:50 ›Lazlo‹ kommt nach
Hause zurück von einem Treffen mit seinem Co-Auto-
ren bei dem Jubiläumsstück Paul Hauser. Um 15:10
kommt IM ›Marta‹ direkt aus Hohenschönhausen zu
ihm. Hausdurchsuchung mit Ergebnisbericht folgt.
Ende des OV ›Lazlo‹. HGW 15:15.«

Da entdeckt er plötzlich etwas. Er kann es kaum glau-
ben. Es ist rote Tinte auf dem Papier verwischt worden.
Eine Wischspur von roter Tinte! Und dann wird Drey-
man alles klar: Sein Schutzengel war ›sein‹ Stasi-Mann.
Er springt auf, rennt zu dem Raumaufseher und hält
ihm den Ordner hin.

DREYMAN Wer ist HGW XX/7?

Normannenstraße, Gauck-Behörde, Archivraum, wenig später

Ein Archivar blättert eine Reihe von ausweisähnlichen
Karteikarten durch, auf denen die Kürzel der hauptamt-
lichen Mitarbeiter des MfS stehen, mit jeweils einem Foto
und der letzten Adresse. Waidmann, Weick, Weisendorn,
Werner ...

Karl-Marx-Allee, Tag

Dreyman fährt in einem Taxi den Teil der Karl-Marx-Allee entlang, wo die Plattenbauten besonders neu und besonders heruntergewirtschaftet sind. Er sitzt auf dem Rücksitz und blickt aus dem Fenster. Plötzlich sieht er ihn.

DREYMAN *(zum Taxifahrer)* Halt.

Wiesler dreht gerade seine Runde: Mit der gleichen Sorgfalt, mit der er früher seine Arbeit als Stasi-Offizier gemacht hat, trägt er jetzt Werbeprospekte für Billa aus. Er zieht einen kleinen Wagen hinter sich her und geht von Haus zu Haus, von Briefkasten zu Briefkasten. Dreyman beobachtet ihn einen Moment lang aus seinem Taxi heraus, das auf der gegenüberliegenden Seite stehengeblieben ist. Dann steigt er aus und will die Straße überqueren. Aber es wird ihm klar, daß er ihn nicht ansprechen kann. Das materielle Machtgefälle (und welch eine Rolle spielt das in dem neuen Deutschland!) ist zu groß für eine Begegnung, die auf gleicher menschlicher Ebene stattfinden müßte. Er bleibt noch einen Augenblick stehen und schaut ihm zu, dann steigt er wieder in sein Taxi.

DREYMAN *(traurig)* Zurück in die Hufelandstraße.

Der Fahrer läßt den Motor wieder an und fährt los.

Titeleinblendung auf Schwarz: »Zwei Jahre später«

Karl-Marx-Allee, Tag

Wiesler dreht immer noch seine Runden. Gerade wirft er die Werbeblätter sorgfältig in die letzten Briefkästen eines Hauseingangs, zieht seinen Wagen weiter, an dem modernen Schaufenster einer Buchhandlung vorbei, in der ein

Mitarbeiter gerade ein Plakat aufhängt: ein Porträt von
Georg Dreyman, unter dem steht »Der erste Roman des
großen Dramatikers«. Große Stapel des Buchs liegen auch
bereits im Schaufenster: »Die Sonate vom Guten Menschen« lautet der Titel. Wiesler zieht seinen Wagen achtlos
weiter. Dann aber wird ihm klar, was er aus dem Augenwinkel gesehen hat. Er kommt zurück, staunt, betritt den
Laden.

Buchhandlung

Wiesler geht auf den Stapel Bücher zu, nimmt eines davon
in die Hand und schlägt es nach einem Moment des Zö-
gerns auf: »Die Sonate vom Guten Menschen« liest er auf
dem Titelblatt. Er blättert weiter. Es kommt eine leere Seite
und dann eine, auf der nur fünf Worte stehen: »HGW
XX/7 gewidmet, in Dankbarkeit«. Wiesler klappt das
Buch erschüttert wieder zu. Dann geht er zur Kasse und
hält es dem Verkäufer hin.
VERKÄUFER Macht DM 29,90. Geschenkverpackung?
WIESLER Nein … es ist für mich.

Abspann

Ein Film von Florian Henckel von Donnersmarck

eine Wiedemann & Berg Filmproduktion

im Verleih der
Buena Vista International

in Coproduktion mit
Bayerischer Rundfunk
ARTE
Creado Film

gefördert durch
Filmfernsehfonds Bayern
Filmförderungsanstalt FFA
Medienboard Berlin-Brandenburg

CASTING	Simone Bär bvc
PRODUKTIONSLEITUNG	Tom Sternitzke
ORIGINAL-TON	Arno Wilms vdt
TONGESTALTUNG	Christoph von Schönburg bfs
MISCHUNG	Hubertus Rath
MASKE	Annett Schulze
	Sabine Schumann mvm
KOSTÜM	Gabriele Binder sfk
SZENENBILD	Silke Buhr sfk
MUSIK	Gabriel Yared
	Stéphane Moucha
KAMERA	Hagen Bogdanski bvk
SCHNITT	Patricia Rommel bfs
REDAKTION	Claudia Gladziejewski / BR
	Hubert von Spreti / BR
	Monika Lobkowicz / BR-ARTE
	Andreas Schreitmüller / ARTE

COPRODUZENTEN   Dirk Hamm
                Florian Henckel von
                Donnersmarck
PRODUZENTEN   Quirin Berg
                Max Wiedemann
BUCH UND REGIE Florian Henckel von
                Donnersmarck

besonderen Dank an
Erna Baumbauer
Marianne Birthler
Wolfgang Braun
Thomas Menne
Maike Haas
Professor Manfred Heid
Abt Gregor Henckel von Donnersmarck
Sebastian Henckel von Donnersmarck
Jan Mojto
Bettina Reitz
Peter Rommel
Jutta Frech
Jörg Stempel

Besetzung

Christa-Maria Sieland	Martina Gedeck
Hauptmann Gerd Wiesler	Ulrich Mühe
Georg Dreyman	Sebastian Koch
Oberstleutnant Anton Grubitz	Ulrich Tukur
Minister Bruno Hempf	Thomas Thieme
Paul Hauser	Hans-Uwe Bauer
Albert Jerska	Volkmar Kleinert
Karl Wallner	Matthias Brenner
Udo	Charly Hübner
Gregor Hessenstein	Herbert Knaup
Häftling 227	Bastian Trost
Frau Meineke	Marie Gruber

Schriftexperte	Zack Volker Michalowski
Einsatzleiter in Uniform	Werner Daehn
Einsatzleiter Meyer	Martin Brambach
Egon Schwalber	Hubertus Hartmann
Nowack	Thomas Arnold
Unterleutnant Axel Stigler	Hinnerk Schönemann
Onkel Frank Hauser	Paul Fassnacht
Benedikt Lehmann	Ludwig Blochberger
Junge mit Ball	Paul Maximilian Schüller
Andrea	Susanna Kraus
Prostituierte »Ute«	Gabi Fleming
Zahnarzt Dr. Zimny	Michael Gerber
Tagesschausprecher	Fabian von Klitzing
Wächter	Harald Polzin
»Marta« 1991	Sheri Hagen
»Anja« 1984	Gitta Schweighöfer
»Anja« 1991	Elja-Duša Kedveš
»Elena« 1984	Hildegard Schroedter
»Elena« 1991	Inga Birkenfeld
BStU-Mitarbeiterin	Inga Birkenfeld
Christas Verhafter	Philipp Kewenig
»Rolf« Andi Wenzke-Falkenau	Jens Wassermann
Bandleader	Ernst-Ludwig Petrowsky
Band	Manfred Ludwig Sextett
Buchverkäufer	Kai Ivo Baulitz

Heads of Department

Claudia Beewen – Regieassistenz: Claudia ist 2nd generation-Filmfrau (ihre Mutter leitete das Besetzungsbüro der DEFA), und man spürt es: So eine Sicherheit im Umgang mit Chaos muß in den Lamarckschen Genen verankert sein. Als sie das Drehbuch das erste Mal las, war sie, obwohl sie selbst einmal von der Stasi verhört worden war, unwillig zu glauben, daß dies alles im Lande ihrer Kindheit möglich gewesen sein sollte. Und so setzte sie sich mit ihrer großen Intelligenz und Systematik zehn Tage lang in die Bibliothek, bevor sie – deprimiert, aber informiert – zusagte und von da an für »Das Leben der anderen« arbeitete wie Alexej Stachanow. Eines ihrer Hauptkunststücke war, die zahllosen Sperrdaten unserer Schauspieler in einen Drehplan zu verwandeln, der uns ermöglichte, die täglichen vier Minuten zu drehen, die wir nicht unterschreiten durften. Mit Ulrich Mühe hatte sie eine besondere Verbindung, weil ihr erster Film als »Ateliersekretärin« auch Ulrich Mühes erster großer Kinofilm war. (»Hälfte des Lebens«, 1984: Mühe spielte Hölderlin. Jenny Gröllmann war Susette Gontard.) Und ihre Verbindung mit mir? An schlechten Tagen sah sie in mir den kapitalistischen Menschenschinder, vor dem man sie in der Schule immer gewarnt hatte. Aber an guten Tagen liebten wir uns sehr. Und es gab deutlich mehr gute Tage.

Simone Bär – Casting: Simone sieht aus wie die Betreiberin des edelsten, teuersten Saloons vom Wilden Westen: schön, blond, stark und trinkfest, mit einem Lächeln auf den Lippen, das schnell deutlich macht, daß diese Frau nichts erstaunen und schon gar nichts erschüttern kann. Vor ihr werden die härtesten Cowboys schwach und die härtesten Regisseure. Ich glaube, sie verstand nicht ganz, warum nicht auch ich mich an ihrer starken Schulter ausweinen wollte. Es gab nichts zu weinen! Schon gar nicht bei ihren brillanten Casting-Vorschlägen, von denen vor meinem Film schon »Die innere Sicherheit«, »Goodbye, Lenin!« und »Lichter« profitiert hatten. Ich verdanke Simone viel: In ihren sonnendurchfluteten Räumen in der Schillerstraße 7 entstand der ganze Film.

Tom Sternitzke – Produktionsleitung: Tom mußte jede Woche den Produzenten Max Wiedemann und Quirin Berg darüber Bericht erstatten, daß »Das Leben der anderen« für das dreifache Budget vielleicht gerade machbar wäre und daß dieser Film mit mathematischer Sicherheit ihre Firma in den Ruin treiben würde. Er schrieb mir alle paar Tage seitenlange Katastrophen-Memos und hatte mit jedem Wort recht. Gleichzeitig wußte ich aber genau, daß auch er wußte, daß er und ich und all die anderen, mit denen wir diesen Film machten, es trotzdem schaffen würden. Weil Film eben nicht nur mit Zahlen zu tun hat, sondern ganz viel mit Wundern, was Tom besser weiß als irgend jemand anders, weil er einer der großen *miracle workers* der Branche ist. Ich könnte mir vorstellen, daß dieser elegante, wortgewandte, weltläufige Mann eines Tages zum Chef eines großen Festivals oder einer großen Förderung berufen wird. Bis dahin hoffe ich noch viele Filme mit ihm gemacht zu haben.

Arno Wilms – Originalton: Arno als Tonmeister dabeizuhaben ist eine Art gutes Omen für Erfolg: Bei fast allen Tom-Tykwer-Filmen, bei »Das Wunder von Bern« und bei »Alles auf Zucker« sorgte dieser milde, musikalische Mann für mustergültigen Ton. Er war auch mit Begeisterung bereit, sich auf einen Wahnsinn einzulassen, der mir bei »Das Leben der anderen« besonders wichtig war: den Ton nämlich *analog* aufzuzeichnen, auf einer klassischen alten Nagra. Das bedeutete, daß er für uns seine Vorräte an Senkelband schlachten (es wird tatsächlich nicht mehr hergestellt) und zudem noch jeden Abend nach Drehschluß mehrere Stunden Analogton auf DAT überspielen mußte, um uns zu ermöglichen, den Ton in den Avid-Schnittcomputer einzuspielen. Er beschwerte sich nie und spielte in den Drehpausen sogar noch Gitarre.

Christoph von Schönburg – Tongestaltung: Christoph ist mein Vetter dritten Grades, Bundesfilmpreisträger (für »Touch the Sound«) und einer der gefragtesten Sounddesigner Deutschlands. Er gestaltete den Ton bei beiden »Bibi Blocksberg«-Filmen, arbeitete mit Junkersdorf, Schwarzenberger und zuletzt auch mit dem Tonfanatiker Dominik Graf zusammen. Christoph gehen nie

die Ideen aus und nie der Spaß am Filmemachen und Filme-
schauen. Er sagt immer, eine gute Tongestaltung darf nur unbe-
wußt wahrgenommen werden. Bei ihm jedoch lohnt es sich sehr,
auch einmal ganz bewußt hinzuhören.

Hubertus Rath – Mischung: Hubertus ist ebenfalls Bundesfilmpreisträger und hat so legendäre Filme gemischt wie Florian
Gallenbergers »Quiero Ser« und Werner Herzogs »Mein liebster
Feind«. Hubertus ist professioneller Saxophonspieler und bringt
ein sehr feines Gespür für Musik mit in die Mischung. Kaum je
waren wir uns über Musikpegel uneinig; und auch über die
Arbeit hinaus hatten wir uns viel zu sagen.

Annett Schulze – Maske: Annett war zur Zeit der Filmhandlung
Puppenspielerin in Ost-Berlin und wechselte erst nach der Wende
zur Maskenbildnerei, wo sie bei Uwe Jansons »Nachts im Park«
Hagen Bogdanski kennenlernte, der sie zu »Das Leben der anderen« brachte (und damit dem Vorbild Xaver Schwarzenbergers
folgte, der es für entscheidend hielt, daß der Maskenbildner vom
Kameramann kommt). Annett half uns, auch bei den Frisuren
und dem Make-Up ganz authentisch zu bleiben, und verschö-
nerte in den Drehpausen so manches Teammitglied.

Sabine Schumann – Maske: Sabine wirkte als Maskenbildnerin
bei einigen der erfolgreichsten deutschen Filme mit, darunter »14
Tage lebenslänglich« und »Sonnenallee«. Ihre große Erfahrung
kam uns sehr zugute, wenn es zum Beispiel darum ging,
Sebastian Kochs Haare – wegen einer Kurzhaarrolle bei Paul
Verhoeven, die er gleichzeitig spielen wollte – zu verlängern oder
ihn in den letzten Szenen, die nach der Wende spielen, um fast
neun Jahre altern zu lassen.

Gabriele Binder – Kostüm: Gabriele ist durch ihre ganz eigene
Mischung aus gutem Geschmack, extremer Arbeitsbereitschaft
und übernatürlichen Fähigkeiten als Kostümbildnerin unschlagbar. Ihre Kostüme – auch die bei »The Passion of Darkly Noon«
oder Sönke Wortmanns »Sankt Pauli Nacht« – haben etwas
Zwingendes, Notwendiges: Grubitz' Schlips, Christas matt-sil-

bern glänzendes Kleid (komplett Gabrieles Kreation), Dreymans immer gleicher Anzug (den Sebastian Koch gern als »Wohnung« bezeichnete), Wieslers Jacke (»ein Glücksfall« wie sie sagte), Jerskas Bauernweste, die gesamte Ausrüstung der Stasi-Kommandos – ihre Kostüme sind immer die einzig richtigen und gleichzeitig sehr originell, ohne jede Aufdringlichkeit. Durch Gabriele habe ich verstanden, daß Mode wirklich Kunst sein kann – der Ausdruck einer inneren Wahrheit. Und hatte auf einmal an meinen eigenen Kleidern keine Freude mehr …

Silke Buhr – Szenenbild: Silke haßt große Worte und Show. Sie liebt die Tat, das Bauen, und sie liebt es, ihre feine künstlerische Arbeit als selbstverständliche Ausübung eines Handwerks darzustellen. Mit Silke bereitete ich mich viele, viele Monate auf den Film vor. Wir wälzten zahllose DDR-Fotobände, sahen zusammen Filme, von denen wir das Gefühl hatten, daß sie etwas mit unserem Film zu tun haben könnten (von »Playtime« über »Die Legende von Paul und Paula«bis hin zu »The Talented Mr. Ripley«), lasen Comics (*Tintin* und Giardinos Jonas-Fink-Trilogie) und waren so sehr auf einer Wellenlänge, daß schon bald einer die Entscheidungen des anderen vorausahnen konnte. In vollkommener Einigkeit legten wir dann auch schon sehr früh die Farben- und Formenwelt des Films fest (braun/beige/orange und grün/grau; kaum blau; kaum rot) und beschlossen, die Bilder eher leer zu halten, d. h. mehr durch das Weglassen von Requisiten zu erzählen als durch ihre Anhäufung. Silke hat ein sicheres Gespür in der Auswahl von Mitarbeitern und versammelte mit ihrer Ausstatterin Christiane Rothe, Außenrequisiteur Klaus Spielhagen und Innenrequisiteur Olaf Kronenthal die Branchenbesten an ihrer Seite. Jedesmal, wenn ich auf ein neues Set kam, das Silke und ihr Team gebaut hatten, war mir ganz weihnachtlich ums Herz, und die »Abnahme« wurde schnell zur Feier. Ohne Silke würde dieser Film ganz anders aussehen. Ohne Silke wäre er für mich eine viel einsamere Angelegenheit gewesen.

Gabriel Yared – Musik: »Kennst du das, Florian? Du liegst auf dem Bett, verzehrst dich vor Lust, aber die Frau ist noch im Badezimmer mit Cremes und Ölen zugange. Du wartest und wartest und wirst fast verrückt. Und gerade als du es nicht mehr aushalten kannst, geht die Tür auf, und sie erscheint ... so wunderschön ... und du weißt: Das Warten hat sich gelohnt. Genauso muß es mit Filmmusik sein.« So klingt es, wenn Gabriel mich davon überzeugt, mehr europäischer Filmemacher zu sein als amerikanischer Zukleisterer. Gabriel ist nicht nur mein Lieblingsfilmkomponist (sein Score zu »The Talented Mr. Ripley« begleitet mich seit Jahren), sondern auch mein Lieblingskomponist tout court. Und gleich beim ersten Treffen merkten wir, daß wir außerdem einen sehr ähnlichen Ausblick aufs Leben haben: daß wir beide die Menschen lieben und die Ordnung und köstliche Düfte und Dinge, die so schön sind, daß ein Unwissender sie kitschig nennen könnte. Da er schon lange vor Beginn der Dreharbeiten bei »Das Leben der anderen« an Bord war, hat er den Stil des Films stark mitgeprägt, durch seine wunderbar zarte und doch zornige »Sonate«, durch seine frühen Themenentwürfe, die mir während des Drehens immer im Kopf herumspukten, und vor allem durch seine Persönlichkeit. Gabriel ist Künstler durch und durch, und der intensive Kontakt mit ihm war wichtig, um Dreyman und Christa besser zu verstehen, genauso wie meine Schauspieler und Heads of Department. Gabriel sieht den Künstler als reinen Empfänger, der nur auf seine wertvollen Sensoren achtgeben muß und Signale aufnimmt. Er steht morgens um fünf Uhr auf, um auf Empfang zu sein, wenn alle anderen schlafen. Oder legt sich erst gar nicht hin, wie so manche Nacht bei unserem Film.

Stéphane Moucha – Musik: Wenn Stéphane mir in der U-Bahn gegenübersäße und ich eine Biographie für ihn erfinden wollte, wäre alles denkbar: Räuber, Mönch oder Künstler am Rande des Wahnsinns. Wahnsinnig ist Stéphane allemal, auch in seinem Arbeitspensum: Wenn Gabriel um fünf Uhr aufsteht, ist Stéphane schon zwei Stunden wach und arbeitet in seinem schmucklosen Pariser Studio, versunken in die Musik, bis zur Mittagszeit. Dann eine 30minütige Pause zur Nahrungsaufnahme in einem schmucklosen vietnamesischen Imbiß. Dann weiter bis Mitternacht. Drei Stunden Schlaf, und das Gleiche von vorn. In unserem Falle acht Wochen lang. Und bei dieser Anstrengung gingen ihm nie die

Witze aus (ich habe den ganzen Film über nicht so viel gelacht wie in den Wochen mit ihm) und nie der Chartreuse (und das ganze Jahr nicht so viel getrunken). Stéphane ist Gabriels Geheimwaffe, die er viel und oft einsetzt, mal als Orchestrator, mal als Ko-Komponist, bei unserem Film sogar ganz offiziell mit Credit. Denn wo Gabriel sich zwar für den *Geist* des Films interessiert, sonst aber nur für Musik, ist Stéphane auch großer Filmliebhaber und -kenner. Zusammen sind sie unschlagbar. »C'est pas de la merde«, sagte Stéphane, wenn er mit etwas besonders zufrieden war. Nein, c'est vraiment pas de la merde.

Hagen Bogdanski – Kamera: Hagen gibt gern den stoischen Proleten. Doch verbirgt sich hinter dieser Fassade ein stolzer, sensibler, überintelligenter Ästhet, von dem niemand so genau weiß, was er gerade denkt und fühlt, vielleicht auch, weil seine Ausdrucksmittel Licht und Cadrage sind, nicht Worte. Hagen ist der Mann hinter der verblüffenden Schwarzweiß-Schönheit von »Die Unberührbare« und dem megalomanischen Glamourlicht von »Der Templer«. Bei den Dreharbeiten zum »Templer« war es auch, als ich ihm zum erstenmal von »Das Leben der anderen« erzählte. Er prophezeite gleich, daß ich dafür die besten Schauspieler würde bekommen können. Und behielt mehr recht, als er wohl selber gedacht hatte. Hagen ist kompromißlos in seinen Anforderungen, steht dann aber auch zu jedem Bild, das er fotografiert. Das macht die Arbeit mit ihm sehr angenehm und greifbar.

Patricia Rommel – Schnitt: Patricia lernte ich 1999 in Hof kennen, wo mein Kurzfilm »Dobermann« als Vorfilm zu Franziska Buchs »Verschwinde von hier!« lief, den Patricia geschnitten hatte. Die Magie ihrer Arbeit war bei jedem Bildwechsel sichtbar. Seitdem achte ich immer auf ihren Namen und schaue mir Filme an, nur weil sie sie geschnitten hat: Sie geht immer im richtigen Moment von einem Bild in das nächste, und ihre Arbeiten sind merkwürdig frei von peinlichen Momenten. Nachdem wir fertiggedreht hatten, saß ich noch sieben Monate lang mit der Cutterin von »Jenseits der Stille« und »Das Leben ist eine Baustelle« in meinem kleinen Ladenbüro in der Linienstraße 158, wohin wir den Avid verfrachtet hatten. In dieser Zeit lernte ich von Patricia vieles, vor allem aber den Zaubertrick, wie man eine Szene, die man schon 200mal gesehen hat, jedesmal von neuem so wahrnimmt, als sei es das erste Mal.

Quirin Berg und Max Wiedemann – Produktion: Max und Quirin produzierten bereits im Gymnasium gemeinsam Kurzfilme und gingen dann zusammen auf die Münchner Filmschule, wo sie ab dem ersten Semester die Stars der Produktionsklasse waren: Irgendwie gelang ihnen, was niemand anderem gelang, und irgendwann hörten die Mitstudenten auf zu glauben, daß es vielleicht mit Glück zu tun hätte. Sie machen einfach alles richtig: In einer Branche, wo viele klagen, hört man von ihnen nie ein Wort der Beschwerde. Sie akzeptieren Machtstrukturen, auch wenn sie darunter zu leiden haben, weil sie wissen, daß sie eines Tages – eines gar nicht so fernen Tages – selber ganz oben sein werden. Über ihre anderen Projekte erfahre auch ich erst bei Veröffentlichung der Förderbescheide, weil sie panische Angst davor haben, daß man ihnen je vorwerfen könnte, sie wären mehr Schein als Sein. Wenn sie sich aber einmal für ein Projekt entschieden haben, stehen sie dazu, egal wie der Wind gerade steht (und es gibt immer Momente, wo er nicht schlechter stehen könnte). Sie kennen keinen Neid, aber auch kein Mitleid. Sie sind unbescheiden und trotzdem höflich; sehr, sehr unterschiedlich und sich dennoch meistens einig; größenwahnsinnig und doch völlig rational. Sie haben immer Respekt vor Leistung und kein Verständnis für Gefühlsargumente, schon gar nicht, wenn es ums Geld geht. Die »Wertigkeit« des Filmes geht ihnen über alles. Wirklich alles. Mein Rat an alle Freunde in der Branche: Stellt euch gut mit den Jungs.

Florian Henckel von Donnersmarck
»Appassionata«: Die Filmidee

Unser Professor an der Münchener Filmschule hatte die
Theorie, daß die Fantasie ein Muskel sei, den man trainie-
ren müsse wie Arnold Schwarzenegger seinen Pectoralis.
Während allerdings Schwarzenegger die Hantelgewichte
langsam steigerte – fünf Kilo mehr pro Monat –, glaubte
Längsfeld an vollkommene Überfrachtung: Gleich in den
ersten acht Wochen des ersten Semesters hatte jeder seiner
Studenten 14 (!) Filmentwürfe zu schreiben und bei seinem
Assistenten abzugeben – Ausnahmen und Entschuldigun-
gen waren ausgeschlossen, wie man uns mitteilte. Tags-
über waren wir die ganze Zeit mit Technik-Unterricht beschäftigt, und so blieben uns nur die Nächte für neue Film-
einfälle. Aber wie auf Befehl kreativ sein?

Ich wohnte diese ersten Wochen in München zu Gast
bei meiner Tante in der Ismaninger Straße und zog mich
nach dem Abendessen immer früh zurück – um zu arbeiten, wie ich sagte, in Wirklichkeit, um rastlos in meinem
Zimmer auf- und abzulaufen und mich zu fragen, ob ich
den richtigen Beruf gewählt hatte. Ich erinnere mich noch
genau, wie ich mich in meiner Verzweiflung in meinem
Gästezimmer auf den Boden legte, direkt neben meinen
Kassettenspieler, und einer Emil-Gilels-Aufnahme der
»Mondschein-Sonate« zuhörte. Einen Moment lang dachte ich nicht daran, daß mir jetzt zumindest *eine* von 14
Geschichten einfallen müßte, sondern lauschte nur der
Musik. Da plötzlich kam mir etwas in den Sinn, was ich
einmal bei Gorki gelesen hatte, daß nämlich Lenin über die
»Appassionata« gesagt habe, daß er sie nicht oft hören
könne, weil er sonst »liebevolle Dummheiten sagen und
den Menschen die Köpfe streicheln« wolle, auf die er doch
»einschlagen, mitleidslos einschlagen« müsse, um seine

Revolution zu Ende zu bringen. Mit der »Appassionata« war es mir nie so gegangen, aber bei der »Mondschein-Sonate« konnte ich Lenins Aussage auf einmal verstehen: Manche Musik zwingt einfach dazu, das Menschliche über die Ideologie zu stellen, das Gefühl über die Prinzipien, die Liebe über die Strenge. Ich fragte mich, was wohl geschehen wäre, wenn man einen Lenin hätte *zwingen* können, die »Appassionata« zu hören. Wenn er hätte glauben können, die »Appassionata« *für* die revolutionäre Sache hören zu *müssen*. Während ich darüber nachdachte, drängte sich mir ein Bild auf: die Halbnahe eines Mannes in einem trostlosen Raum; er hat Kopfhörer auf den Ohren, durch die eine wunderbare Musik klingt. Und als dieses Bild da war, stürzten die Gedanken auf mich ein: Der Mann hört diese Musik nicht zum eigenen Vergnügen, sondern weil er jemanden belauschen muß, einen Feind seiner Ideen, aber einen Freund dieser Musik. Wer ist dieser Mann, der da sitzt? Wen belauscht er? Die Fragen kamen im Rausch, ebenso die Antworten, und innerhalb weniger Minuten stand das gesamte Grundgerüst zu »Das Leben der anderen«.

Von da an schreckten mich die Exposés nicht mehr. Aber dieser Stoff war der erste, dieses Bild war das erste. Und so beschloß ich, ihn als meinen ersten Kinofilm umzusetzen. Keine acht Jahre später war er fertig.

Sebastian Koch
**Warum ich erst jetzt eine Kinohauptrolle
in Deutschland spiele**

Den Auszügen aus den Notizen, die ich mir während der
Dreharbeiten zu »Das Leben der anderen« gemacht habe,
möchte ich ein paar Erklärungen vorausschicken. Unter
anderem dafür, warum dies die erste Kinohauptrolle ist,
die ich in Deutschland gespielt habe. Kino ist für mich etwas ganz Besonderes, weil es eine der emotionalsten
Kunstformen ist. Kino hat für mich mit Atmosphäre zu
tun, mit der Erschaffung einer feinstofflichen Wirklichkeit:
Im Kino ist alles sichtbar, jeder Gedanke des Regisseurs, jeder Gedanke des Schauspielers. Es muß also ganz und gar
echt sein, um zu überzeugen. In Deutschland steht Kino
aber immer im Vergleich. Man spricht vom »deutschen
Bruce Willis« in der Hauptrolle, man bewundert »einen
Hauch von Hollywood« in der Umsetzung. Das hat mich
nie interessiert. Im Fernsehen konnte ich sehr viel eher eine
Nische für mich finden. Hier wurden authentische Ge-
schichten gewagt. Die Arbeiten von Heinrich Breloer zum
Beispiel sind ganz deutsch, auf die beste Art und Weise.
Und so habe ich mich dem Kino bisher ferngehalten.

Doch plötzlich war dieser Film da, in Gestalt eines
Drehbuchs, das mir mein Freund Florian Henckel von
Donnersmarck zu lesen gab. Hier war ein Drehbuch, das
nicht versuchte, alles zu benennen und zu erklären; ein
Drehbuch, in dem eine der Hauptfiguren – Wiesler – sogar
kaum spricht. Ein deutscher Stoff durch und durch, aber
gleichzeitig eine Geschichte, die von der Emotion her überall auf der Welt spielen könnte. Am meisten aber begei-
sterte mich daran, daß Florian es geschafft hatte, sogar der
DDR eine große Sinnlichkeit abzugewinnen. Diese Sinnlichkeit transportierte mich beim Lesen durch das ganze

Buch. Und als ich fertiggelesen hatte, wußte ich, daß ich mitspielen wollte.

20. August 2004 In einem langen Gespräch bei »Stella Alpina« nähern Florian und ich uns der Figur an. Der Schriftsteller Dreyman ist immer Beobachter. Das darf ich nicht vergessen. Aber obwohl er genau beobachtet, tut er es mit einer großen Liebe, mit einem großen Herzen. Er hat irgendwann für sich entschieden, daß er die Menschen mag. Gleichzeitig kann er aber nie ganz bei ihnen sein.

3. September 2004 Bespreche mit Florian in seiner Wohnung in der Alten Schönhauser die große Jerska-Szene. Florian gibt den Jerska – gar nicht so schlecht. Ich vergesse einen Moment lang, daß wir nur lesen, und spiele das Umschwenken von »ich habe mit ihm über dein Verbot gesprochen …« zu »es sieht gut aus« so innerlich, daß Florian nicht aufhören kann zu lachen. Plötzlich bin ich ganz besorgt, daß ich es schon ›weggespielt‹ habe. Werde ich das am Set noch einmal so reproduzieren können?

5. September 2004 Florian und ich fahren von meiner Wohnung aus zusammen ins »Ottenthal« in der Kantstraße, um dort Martina Gedeck zu treffen, die für die Rolle der Christa zugesagt hat. Florian ist aufgeregt wie ein Kind und kann es nicht verbergen. Er macht sich offensichtlich Sorgen, ob Martina und ich ein gutes Paar ergeben werden. Je länger er uns beobachtet, desto ruhiger wird er. Freut mich. Nach dem Essen gehen wir noch zu mir und reden über Textpassagen. Sie ist perfekt für die Rolle. Wirklich perfekt.

10. Oktober 2004 Zehnte Klavierstunde. Irgendwie habe ich das Gefühl, der Schlüssel zu Dreyman steckt in dieser wunderbaren, unspielbaren Sonate von Gabriel Yared.

Wenn ich die kann, bin ich Dreyman. Florian macht den Wahnsinn mit und setzt sich dafür ein, daß die Produktion, die sonst nichts zahlt, wenigstens den Klavierunterricht finanziert. Ist es arrogant zu glauben, daß ich sie in sechs Wochen lernen kann? Warum habe ich nie Klavierspielen gelernt!

12. Oktober 2004 Gabriel hat mir eine CD geschickt, auf der er die Sonate spielt. Er schreibt dazu, daß er sie das beste findet, was er seit langem komponiert hat. Ich gebe ihm recht. Aber seine Einspielung ist viel zu schnell! Viel zu hart! Ich bin mir sicher, daß sie langsamer schöner ist. Natürlich, auch spielbarer für mich, aber auch schöner! Ich rufe Florian an und bitte ihn, sich bei Gabriel für eine zartere Einspielung einzusetzen. Er sagt, er versteht, was ich meine. Aber wird er es tun? Bin ich denn völlig größenwahnsinnig geworden, einem Oscarpreisträger vorschreiben zu wollen, wie er seine eigene Komposition spielen soll? Ich halte es jedoch für möglich, daß ich dieses Stück inzwischen besser verstehe als er, anders. Denn dieses

Stück ist Dreyman. Und wenn ich es richtig spiele, werde ich Dreyman sein.

19. Oktober 2004 Zweite Kostümprobe, diesmal mit Florian. Der Kordanzug samt Rollkragenpullover, ein Outfit, das Gabriele für mich entwickelt hat, ist mir zu perfekt. Ich merke, daß auch sie noch nicht ganz zufrieden damit ist, obwohl wir uns ja schon darauf geeinigt haben. Wir reden uns alle nur ein, daß es das richtige ist. Auch Florian (ich weiß doch, wie er sich verhält, wenn er *wirklich* überzeugt ist). Dreyman darf nicht auch noch äußerlich so edel sein, wie er es schon innerlich ist. Deshalb schweifen meine Augen immer weiter über Gabrieles Fundus. Und plötzlich sehe ich in der Ecke einen alten, verwitterten Anzug aus einer Art Sofastoff. Ich ziehe ihn an – das ist er. So gefällt mir Dreyman: ein bißchen verlebt und nicht ganz gepflegt, aber gleichzeitig sinnlich. Der Anzug sitzt nicht korrekt. Perfekt. Er hat eine Patina von Rotwein und Zigarettenrauch. Großartig. Der Anzug ist ehrlich. Das Sich-an-der-Zigarette-festhalten, das ich in den Gesprächen mit Florian für die Figur entwickelt hatte – das alles gibt dieses Kostüm vor. Erstaunlich, wieviel Magie so ein Stück Stoff enthalten kann!

Bin enorm dankbar dafür, daß Gabriele und Florian mich nicht verrückt, kompliziert und mühsam finden in meiner Suche nach dem perfekten Kleidungsstück, sondern mindestens genauso wahnsinnig sind und meinen Wahnsinn sogar noch bejubeln.

26. Oktober 2004 (1. Drehtag) Um 6:45 holt mich der Fahrer ab. Das Abenteuer beginnt. Zunächst im feuerroten Schminkmobil. Florian und ich entscheiden, die Perücke (die Sabine ja eigentlich nur entwickelt hatte, weil Paul Verhoeven für den anderen Film kurze Haare wollte) zu verwenden, auch wenn Paul jetzt später dreht. Dreyman braucht einfach lange Haare. Steht mir irgendwie gut. Werde meine eigenen Haare nach dem Film vielleicht auch so wachsen lassen.

Dann gehen wir in Dreymans fertig eingerichtete Wohnung. Florian sagt, ich solle etwas in dem Raum verändern, um ihn mir zu eigen zu machen. Klingt nach einem Trick, den er in einem Schauspielführungsseminar gelernt hat. Aber es ist ein schöner Trick, und ich mache es. Zuerst, um ihm zu gefallen. Aber dann gefällt es auch mir: Ich schiebe den Schreibtisch ganz in die Mitte des Raums. Dreyman braucht keine Wand im Rücken, um sich geschützt zu fühlen. Sein Schutz kommt von innen. Die Wohnung ist perfekt. Auch Marie Gruber ist begeistert, auf ihre nonchalante Ost-Art: »Sieht ja aus wie bei Brechtens.« Stimmt, aber nicht ganz: Es sieht aus wie bei Dreyman.

Als erstes steht die Schlipsszene auf dem Plan. Bin erstaunt, daß sie so etwas Schwieriges auf den ersten Tag gelegt haben. Florian inszeniert sie hin zu einer scheinbaren Beiläufigkeit. Er ist überhaupt nicht aufgeregt, was mich erstaunt. Hört bei jeder Einstellung nach genau dem Take auf, wo ich auch aufgehört hätte. Wir sind ganz beieinander. Im Schneideraum werden sie bei diesem Film nur den ersten Take verwenden oder den letzten. Das weiß ich schon jetzt. Nach einer Einstellung schauen Florian und ich uns an und wissen: Der Film wird gut. Spontan fallen wir uns in die Arme. Marie Gruber: »Jetzt umarmen die sich schon am ersten Drehtag.« Kratzt mich nicht. Ich weiß schon, wann ich umarme.

29. Oktober 2004 (4. Drehtag) Wir drehen die große Aussprache zwischen Christa und Dreyman. Florian will, daß ich die Worte »früher hatte ich immer nur vor zwei Sachen Angst ...« so spreche, als hätte ich sie mir vorher zurechtgelegt, als Mann des Wortes. Diese Szene hat für mich beim Lesen auch immer einen besonderen Reiz. Daß Dreyman diese Frau, die er so liebt, einfach losläßt, ist bezeichnend für ihn. Er hält sie nicht mit Gewalt fest, er schreit sie nicht an und macht ihr schon gar keine Vorwürfe. Er gibt ihr einen *Rat*. Mysteriös, erstaunlich. Unmännlich? Wahrscheinlich gerade *besonders* männlich.

Das Tragische an dieser Liebe ist, daß sie in jedem freien System eine echte Chance gehabt hätte. Das System hat diese Chance aber zerstört, schon lange vor dieser Szene, indem es Christa zerstörte. Martina spielt es mit einer Intensität, die mir unter die Haut geht.

Am gleichen Tag – kaum zu glauben – drehen wir die große Duschszene vor Christas Tod. Florian will sie unbedingt in einer Einstellung machen. »Warum hast du mich nicht angerufen?« Diesen Satz soll ich ohne Vorwurf sagen. Wie sagt man diesen Satz ohne Vorwurf? Wir machen es wieder und wieder, während Martina unter eiskaltem Wasser duschen muß. Aber es geht an den Kern von Dreymans Wesen: Diese scheinbar langweilige Figur ist eigentlich wahnsinnig lebendig, weil sie so daran interessiert ist, die Wahrheit zu erkennen. Dreyman liebt die Wahrheit so sehr, weil er die Kunst liebt, welche die Wahrheit abbildet. Die Augen vor der Wahrheit zu verschließen würde also bedeuten, die Augen vor der Kunst zu verschließen. Und ein Vorwurf ist ein Beklagen der Wahrheit, zumindest der psychologischen Wahrheit: Warum bist du nicht so, wie ich dich will! Ich denke also bei dem Satz: »Es interessiert mich wirklich sehr zu wissen, warum du mich nicht angerufen hast.« Und dann geht es.

2. November 2004 (6. Drehtag) Herbert Knaup als »SPIEGEL«-Redakteur Hessenstein. Merke, daß die Regie-Assistentinnen und Maskenbildnerinnen ganz aufgeregt werden, als er erscheint. Ich verstehe sie: Herbert muß man einfach lieben, auch als Mann. Es ist gar nicht so leicht, die furchtsame Antipathie des Ossis gegen ihn zu spielen. Aber die Besetzung ist genial: Im Vergleich zu dem Überwessi Knaup sind wir alle Ossis.

Meine einzigen Bedenken vor dem Dreh, Florian könnte zu freundlich sein, um ein wirklich großer Regisseur zu werden, haben sich schnell zerstreut. Mir ist sogar klargeworden, daß Florians Freundlichkeit (Ulli Mühe nennt es »unerbittliche Freundlichkeit«) oft eher Höflichkeit ist – das Wahren einer Form –, die man nur im ersten Moment für Freundlichkeit hält. Denn egal welche Horrormeldungen aus dem Produktionsbüro kommen, egal wie sehr Beleuchter, Bühnenarbeiter und sogar der Kameramann mit den Augen rollen – Florian geht erst zur nächsten Einstellung über, wenn er das gesehen hat, was er sehen wollte. Und Vorschläge, die ihm nicht einleuchten, hört er sich höflich lächelnd an, um sie dann komplett zu ignorieren.

4. November 2004 (8. Drehtag) Die Sache mit Onkel Frank. Es macht ungeheuren Spaß, schlecht zu spielen! Der Zuschauer wird über diese Szene natürlich erst einmal stolpern. Hoffentlich versteht er, was wir versucht haben. Hoffentlich haben wir den richtigen Grad an schlechtem Schauspiel gefunden.

5. November 2004 (9. Drehtag) Der große Tag ist da: Die Einspielung der Sonate. Gabriel hat eine andere Aufnahme geschickt – und alle meine Wünsche berücksichtigt! So kann ich sie spielen, ganz aus dem Herzen, ganz aus Dreyman heraus.

6. November 2004 (10. Drehtag) Gabriele tauscht mitten im Film den langen dunkelgrauen Mantel aus, von dem ihr bei den Mustern klargeworden ist, daß er »zu sehr Schwabing« ist. Ich bekomme einen kürzeren, etwas lächerlichen, aber richtigeren als Ersatz. Die Frau hat nicht nur Geschmack, sondern auch Mut. Hoffentlich merkt es niemand.

12. November 2004 (14. Drehtag) Am Morgen wird Jerska bei bitterster Kälte beerdigt. Am Nachmittag besuche ich ihn in seiner Wohnung. In diesem baufälligen Haus ist es auch wahnsinnig kalt. Die Kälte und die Trübsal der Szene, die Kälte vom Friedhof (wie gut, daß kein Geld für Regen da war!) – all das drückt mir sehr auf die Stimmung. Fühle mich in der Zweier-Einstellung außerdem extrem im Anschnitt. Florian sagt, es habe mit dem Cinemascope-Format zu tun und ich sei gar nicht angeschnitten, sondern voll im Bild. Er zeigt mir zur Beruhigung den kleinen Video-Monitor, auf den das Bild ausgespiegelt wird. Der ist sehr dunkel, und man erkennt nicht viel. Hagen findet es nicht gut, daß Florian mir den Monitor zeigt, aber Florian hält ihn mir weiter hin, was die Stimmung am Set nicht gerade verbessert.

Aber dann kommt der letzte Dialog – »ich habe mit ihm über dein Verbot gesprochen ... er hat mir Hoffnung gemacht«, – und er gelingt mir genau so wie bei der Probe in Florians Wohnung, vielleicht sogar noch besser. Der ganze Kummer ist weggepustet. Ende eines sehr, sehr langen, harten Tages für alle. Wochenende!

18. November 2004 (18. Drehtag) Der Lesesaal der Gauck-Behörde. Zum ersten Mal ist ein Set ganz anders, als ich es mir vorgestellt hatte. Mir hat ein riesiger Raum vorgeschwebt, mit großen Tiefen und Hunderten von Menschen, die darin ihre Akten lesen. Aber es sind nur sechs andere Leute in dem Raum, der kleiner ist als ein Klassenzimmer. Florian sagt zur Erklärung, daß er meine Emotion als einziges haben will, daß kein dramatischer Raum davon ablenken soll. Ausrede? Sparmaßnahme? Dann vergesse ich alles: Die Szene ist ein Wechselbad der Gefühle. Habe ich je eine Szene gespielt, in der ich so lange kein Wort sage? Alles, was Dreyman geglaubt hat, stellt sich als falsch heraus. Für diesen Mann, der die Wahrheit so lieben will, ein doppelt großer Moment.

20. November 2004 (20. Drehtag) Heute stirbt Christa-Maria. Und ich erlebe etwas, das jeder Schauspieler sich wünscht: daß vor laufender Kamera aus echtem Gefühl heraus etwas entsteht, das man von sich selber als Mensch gar nicht kennt. Plötzlich, während ich die tote Christa in den Armen halte, kommt aus meiner Brust dieser singende Schmerzenston, der für mich alles ausdrückt, was Dreyman in dem Moment empfindet. Ich würde mich nie trauen, so etwas zu erfinden. Aber wenn ich mich wohl fühle mit jemandem, dann rückt die Grenze zur Kontrolle weiter weg. Wenn ich weiß, daß jemand mit großem Geist auf mich aufpaßt, dann bin ich bereit, viel mehr zu wagen. Und in diesem Fall war der Lohn dann so ein kleiner Ton. Für mich ist die Beziehung mit einem Regisseur im Idealfall ein Schenken und Beschenktwerden. Florian sagt, er will diesen Ton in der Musik freistellen. Daran werde ich ihn erinnern.

Abends das Bergfest: Jeder arbeitet bei diesem Film für weniger als die Hälfte der üblichen Gage, aus der Überzeugung heraus, einen wichtigen Film zu machen. Aber Flo-

rian hat die Leute schon extrem gefordert, mit frühem
Drehbeginn, kurzen Mittagspausen und langen Überstun-
den. Die positive Energie der ersten Tage wurde mit jedem
Tag dunkler.

Heute konnte sich bei dem Bergfest alles entladen. Es
hätte auch in eine Meuterei ausarten können. Statt dessen
wurde es zu dem schönsten Bergfest, das ich je erlebt habe.
Denn Florian hatte mit Patricia einen Film vorbereitet, der
einen Querschnitt von allem präsentierte, was wir bis jetzt
gedreht haben. Der wurde vorgeführt, und plötzlich verstanden alle, daß sie hier an etwas Großem beteiligt sind,
und lagen sich in den Armen. Habe ganz tolle persönliche
Gespräche geführt, auch mit Rossi, dem Oberbeleuchter,
mit Martin, dem Assistenten des Set-Aufnahmeleiters.
Florian und ich fahren um 5:00 mit dem Taxi nach Hause.
Für den Film ein lebenswichtiger Abend. Er hätte keine
zwei Tage später kommen dürfen.

1. Dezember 2004 (27. Drehtag) Dreyman beginnt, mit
rotem Schreibmaschinenband den »SPIEGEL«-Text zu
schreiben. Und auf einmal weicht der Druck, die Schwere
von meiner Brust. Faszinierend: Sowie Dreyman beginnt,
gegen den Staat zu arbeiten, ist er seine Beklemmung los.
Das war nicht so geplant, nicht so gewollt. Dreyman hält
einige Überraschungen für mich bereit. Befreiendes Gefühl!

2. Dezember 2004 (28. Drehtag) Heute ist die Theaterpre-
mierenfeier im Grünen Salon der Volksbühne. Für mich
schon wieder eine Reise in die Vergangenheit. Sofort ist die
Beklemmung wieder da, obwohl das Tanzen mit Martina
viel Spaß macht. Sie tanzt wirklich gut! Noch besser als
während des Unterrichts bei Florians Eltern. Sobald die
Kamera auf sie gerichtet ist, leuchtet sie auf wie eine Glüh-
birne. Faszinierend. Bespreche im Trailer mit Florian noch

Textänderungen. Bin mit »Noch zwei solche Inszenierungen, wie sie Schwalber heute hingelegt hat, und kein Mensch spricht mehr von mir« nicht ganz glücklich. Es ist Dreyman egal, ob man von ihm spricht oder nicht. Er will gute Arbeit. Wir einigen uns auf: »Meine Stücke sind nicht so gut, als daß ein Schwalber sie inszenieren könnte.« Diese ganz ehrliche Bescheidenheit von Dreyman gefällt mir besser. Florian auch.

16./17. Dezember 2004 (38. Drehtag) Um 3 Uhr morgens geht der Dreh in Hausers gelber Wohnung zu Ende. Alle sind zu müde, um wirklich zu begreifen, was sie über die letzten Monate geleistet haben. Und keiner kann so recht glauben, daß es wirklich aus sein soll. Ist es aus?

>>Es hat ja schon viele Versuche gegeben,
die DDR-Realität einzufangen.<<
Florian Henckel von Donnersmarck
und Christoph Hochhäusler
im Gespräch mit Ulrich Mühe

CH: *Herr Mühe, wie war für Sie die erste Begegnung mit dem Stoff?*

MÜHE: Ich bekam das Drehbuch zugeschickt, ohne etwas darüber zu wissen. Das Tolle an einem Film ist ja, daß man in einem grauen Umschlag ein Drehbuch kriegt und erst einmal gar nichts darüber weiß. Wenn man ein Theaterangebot für ein bestimmtes Stück bekommt, hat man gleich Bilder im Kopf, wie das Stück schon aufgeführt wurde, an welchen Bühnen, mit welcher Intention. Es ist dann meistens ziemlich klar, in welcher Tradition man sich bewegen wird. Aber diese grauen Umschläge beim Film sind immer wieder spannend: Man weiß überhaupt nicht, was einen erwartet. Und im Fall von >>Das Leben der anderen<< war es tatsächlich ein Drehbuch, von dem ich nicht vermutet hätte, daß es jemand so schreiben kann. Es hat ja schon viele Versuche gegeben, die DDR-Realität einzufangen und nachzuorganisieren, auch das Stasi-Thema. Ich habe gerade in den 90er Jahren viele Drehbücher zu diesen Themen gelesen. Aber es war alles immer zu kurz gefaßt, immer zu kurz gesprungen. Viel wirklich ärgerlicher Mist dabei, der dann auch zum größten Teil nie umgesetzt wurde. Und plötzlich war da ein Buch, wo sich alles richtig anfühlte, wo ich während des Lesens nicht einmal die Stirn in Falten legen und sagen mußte: >>Das ist jetzt aber übertrieben.<< Ich war selber nicht bei der Stasi, daher weiß ich natürlich über technische Details nicht bis ins letzte Bescheid, aber für diese Zeit habe ich ein Empfinden, weil ich in ihr gelebt habe, unter genau den Menschen, um die es in dem Film geht. Und die waren sehr authentisch und einfühlsam geschildert, in ihrer Beziehung zueinander, zur Kunst, zum Staat, zur Stasi. Ich hielt es für wichtig, daß dieser Film gemacht wird.

CH: *Wußten Sie zu dem Zeitpunkt schon, daß Florian 16 war, als die Mauer fiel, und aus dem Westen ist?*

Ich wußte, daß er in München studiert und gelebt hatte. Er hatte mir in einem Begleitbrief geschrieben, daß er nach Berlin umgezogen war, weil er das Buch in München angefangen hatte, dort aber nicht zu Ende bringen konnte. Jedenfalls ging ich davon aus, daß er ein relativ junger Mann ist. Das hat mich in diesem Zusammenhang auch besonders erstaunt. Ich bekomme öfter Bücher von Absolventen, die ihre ersten Filme machen – gerade habe ich wieder drei davon gelesen –, die nach sehr ähnlichem Muster funktionieren: Da muß man in meinem Alter immer den Vater spielen, der sein Kind quält. Ich verstehe ja, daß die jungen Autoren und Regisseure so etwas thematisieren. Es ist immerhin ihre jüngste Vergangenheit, und sicherlich ist es sogar gut, daß sie sich zuerst damit beschäftigen statt mit einem Thema, das ihnen vielleicht ganz fremd ist. Sie müssen aber auch verstehen, daß mich diese Rollen dann nicht besonders reizen.

Wenn wir von den jungen, nachwachsenden Regisseuren reden, sind wir ja schnell dabei zu sagen: »Na ja, wo sollen sie denn die Probleme auch hernehmen, die sie für ihre Filme brauchen? Was ist denn schon ihr Erlebnishorizont? Der Unterschied zwischen Mars und Milky Way? Mehr haben sie doch noch nicht erlebt.« Aber »Das Leben der anderen« ist ein Beispiel dafür, daß natürlich allein über Interesse auch sehr viel passieren kann. Hier hatte sich jemand ein Thema vorgenommen, mit dem er selber in seiner Biographie wahrscheinlich überhaupt nichts zu tun hatte, in das er sich aber trotzdem vollkommen einfühlen konnte. Das hat mich gleich aufmerken lassen.

CH: *Kann es nicht sein, daß Florian dieses Thema so gut schildern konnte, gerade* weil *er den Abstand hatte, gerade* weil *er an den ganzen Geschehnissen nicht beteiligt war?*

MÜHE: Nein, das kann nicht sein. Es haben sich ja auch andere an solche Filme gewagt, etwa Frau von Trotta [Margarethe von Trotta: »Das Versprechen«. 1994]. Es hilft auch nichts, wenn man die Liebesgeschichte, die ja ganz nett geworden sein mag, unabhängig vom Rest des Films betrachtet. Denn was man da an DDR versucht hat zu zeigen: diese martialischen Gestalten! Diese Clichés, die da aufgefahren wurden! Nein, das ist es dann wirklich nicht. Und die Regisseurin hat ja auch mindestens ebensoviel Abstand zu dem Thema.

CH: *Florian hat mir erzählt, daß Sie, nachdem Sie das Drehbuch gelesen hatten, noch zwei Gespräche mit ihm führten, bevor Sie ihm für die Rolle zusagten. Mich würde interessieren, was Sie herausfinden wollten oder was Sie für Sorgen hatten?*

MÜHE: Man lernt ja in der Medienwelt ganz unterschiedliche Leute kennen, und es gibt tatsächlich welche, die Drehbücher schreiben, aber überhaupt nicht Regie führen können. Oder es ist gerade andersherum. Aber wenn jemand beides machen möchte, denkt man doch: »Aha, mal sehen, wem ich mich da anvertraue.« Das Drehbuch war wirklich gewaltig. Toll. Und es war klar, daß ich mich da als Schauspieler nicht (wie ich es vielleicht sonst manchmal tue) hinstellen und sagen konnte: »Aber ich hätte jetzt

gerne, daß das an dieser Stelle so eine Wendung nimmt anstatt einer anderen.« Es war klar, daß die Figuren im Drehbuch in einer Art und Weise geführt sind, bei der man als Schauspieler nicht krümelkackerisch dazwischenfunken sollte. Es war wirklich ein Gesamtgefüge von Figuren und Handlung, das stimmte. Und ich wollte einfach herausbekommen, ob der Autor das eigene Buch auch realisieren kann. Das kann man natürlich nicht wirklich herausfinden, aber ich wollte ihn einfach ein bißchen kennenlernen.

FHVD: *Sie wollten vor allem auch wissen, wie ich die emotionalen Stellen bei einer Figur inszenieren würde, die eine so reduzierte Mimik und Gestik hat.*

MÜHE: Ja, das stimmt. Ich habe gefragt: »Einen Großteil des Films sitzt ein Mann auf dem Dachboden, hört zu und ist immerfort bewegt. Wie spielt man das?«

FHVD: *Darauf habe ich gesagt: »Vielleicht spielt man es überhaupt nicht«, und dann haben Sie mich angelächelt, mir die Hand entgegengestreckt und gesagt: »Gut, ich mach's.«*

CH: *Angesichts Ihrer Biographie würde man nicht direkt annehmen, daß Sie Lust hätten, sich in einen Stasi-Mann hineinzudenken.*

MÜHE: Dazu muß man Verschiedenes sagen. Ich habe ja – wie ich vorhin schon erzählt habe – vor diesem viele andere Drehbücher zum Thema DDR und auch zum Thema Stasi gelesen, bei denen ich immer das Gefühl hatte, daß das so nicht stimmte. Aber hier hatte ich zum ersten Mal ein Buch über die DDR in der Hand, dessen Geschichte sich verbürgt anfühlte. Und dann wird es natürlich eine persönliche Frage: Als die Mauer fiel, war ich 36 Jahre alt. Die DDR ist ein großes Stück meiner Biographie. Der ständige Blick in die Vergangenheit interessiert mich nicht, aber es ist mir doch ein inneres Anliegen, zu verstehen, was in diesem kleinen Land, wo ich so viele Jahre verbracht habe, wirklich passiert ist. Das hat nichts mit DDR-Ostalgie zu tun, die mir ganz fremd ist. Aber so, wie mich Geschichte insgesamt interessiert, interessiert mich die DDR in besonderem Maße, weil ich sie selber erlebt habe und weil sie mit den geschichtlichen Größen Rom und Troja eine entscheidende Gemeinsamkeit hat: Sie ist untergegangen. Dieser Phantomschmerz – daß etwas einmal so stark war, ganz selbstverständlich zu einem gehörte (meine ganze Erziehung war ja DDR-autonom) und dann plötzlich weg ist – läßt zwar mit den Jahren immer mehr nach, ist aber doch weiterhin spürbar und trägt sicherlich seinen Teil dazu bei, daß mein Interesse wach bleibt. Und dazu gehört eben auch das Interesse, sich in eine so schlüssige Figur wie diesen Stasi-Hauptmann Gerd Wiesler hineinzudenken und einzufühlen.

FHVD: *Wie intensiv Sie das getan haben, konnte ich ja über sieben Monate hinweg immer wieder an meinem Schneidetisch beobachten. Die Cutterin Patricia machte mich nämlich beim ersten Sichten des Materials darauf aufmerksam, daß Sie – nachdem ich »Danke« gesagt hatte, während die Kamera noch ihre zehn Sekunden weiterlief – immer noch ganz in die Rolle versunken dasaßen, obwohl die Szene ja schon vorbei war. Da wurde mir noch stärker bewußt, wie sehr Sie von innen heraus arbeiten.*

MÜHE: Das hat natürlich auch viel mit Ihnen zu tun. Weil Sie einer der wenigen sind, die eine solche Konzentration auch organisieren können. Eine Konzentration auf den Moment des Drehens, so daß sich allen am Set vermittelt, daß da jetzt etwas passiert. Was für einen Schauspieler unglaublich schön ist, wenn er das denn braucht und auch benutzen kann.

CH: *Haben Sie sich auf den Film und auf die Rolle besonders vorbereitet oder sich mehr auf die eigene Erfahrung verlassen?*

MÜHE: Ich habe eigentlich nur in mich hineingehört. Allerdings bin ich kein Opfer von Stasi- oder DDR-Willkür gewesen. Da gibt es ganz andere Leute, die mit einem ganz anderen Zorn und mit ganz anderer Berechtigung darüber reden können. Ich bin in der DDR aufgewachsen und durfte dort sogar das machen, was ich wollte: Ich wollte immer Schauspieler werden und konnte das an sehr prominenter Stelle. Ich wußte aber wie alle anderen, daß es sehr viele Leute gab, die für die Staatssicherheit arbeiteten, und daß in jedem Betrieb und jeder Einrichtung ein Stasi-Offizier mit dabei war. Wir wußten, daß sie uns beobachteten, daß sie zuhörten, daß sie versuchten, auf Partys zu kommen. Das gehörte immer zum ganz normalen Leben. Es war auch normal, daß man das Knacken im Telefon hörte, wenn man überwacht wurde. Ich habe also für den Film nicht eigens recherchiert. Ich wußte, daß das Drehbuch den Figuren tolle Situationen bietet, die man dann einfach glaubwürdig spielen muß.

FHVD: *An ein paar Stellen haben Sie aber dann zumindest die Recherche Ihres Lebens eingebracht. Ich denke an Hausers unglückseligen Stasi-Mann Andi. Als ich Ihnen kurz vor dem Drehen sagte, daß unsere Redakteurin hier lieber einen Nachnamen wollte, schlugen Sie vor, ihn Falkenau zu nennen: »Da ist ja Falkenau!« So haben wir das dann auch gedreht, als kleinen Gruß an einen der IMs, die auf Sie angesetzt waren. Das war ein Schauspieler am Deutschen Theater?*

MÜHE: Er war Regieassistent. Kleines Fach. Spielte kleinere Rollen.

CH: *Und sammelte Informationen gegen Sie?*

MÜHE: Ja, aber nicht als einziger. Ich habe in meinen Akten vier IMs, und von zweien habe ich die Klarnamen bekommen. Einer war eben Günther Falkenau, der inzwischen verstorben ist, die andere eine Kollegin, Johanna Glas, die gleich 1990 vom Theater wegging. Ich habe sie nie wieder gesehen. Während das Foto von Günther Falkenau noch bis vor kurzem im Deutschen Theater hing.

CH: *Das war Ihnen damals, während es lief, nicht klar?*

MÜHE: Nein, ich wußte nicht, wer das war. Es gehörte ja zu dem Spiel dazu, daß man bestimmte Leute verdächtigte, die es vielleicht gar nicht waren, und von den wirklichen Spitzeln nichts ahnte. Von den beiden auf jeden Fall ahnte ich es nicht. Aber ich hatte auch hinterher nicht das Bedürfnis, mit ihnen ein klärendes Wort zu reden. Der arme Falkenau hatte, solange ich ihn kannte, so viel zu leiden unter Regisseuren und unter seiner Existenzform als Schauspieler, daß ich mir dachte: »Das ist so ein armes Würstchen, was soll ich dem jetzt noch nachtreten.« Aber meine Haltung hat natürlich auch damit zu tun, daß diese Bespitzelungen meinem Leben nicht wirklich einen anderen Lauf gegeben haben, wie das bei anderen Leuten der Fall war.

CH: *Ihre Stasi-Akten waren also nicht eine Art Chronik Ihres Lebens, wie es in »Das Leben der anderen« der Fall ist?*

MÜHE: Nicht wirklich. Aber es gab natürlich schon viele Punkte, über die ich gestaunt habe. Zum Beispiel darüber, wie früh die damit angefangen haben, Informationen über mich zu sammeln, schon während des Studiums und dann gleich bei meinem ersten Engagement in Chemnitz – damals Karl-Marx-Stadt.

FHVD: *War es nicht sogar noch früher? Sie haben mir ein-mal einen Brief in Ihrer Akte gezeigt, den Sie während Ih-rer NVA-Zeit geschrieben hatten und der abgefangen wurde, obwohl Sie ihn sogar außerhalb der Kaserne heim-lich in einen Dorfbriefkasten einwarfen.*

MÜHE: Ja, das stimmt, ein Brief an einen Freund, in dem ich meine Schwierigkeiten mit der NVA Luft gemacht habe ... Für mich war die Armeezeit kompliziert. Ich mochte das alles nicht, vertrug es nicht, wurde dann ma-genkrank und bekam Magengeschwüre. Aber Magen-krankheit wurde sehr lange nicht anerkannt, weil man dachte: ,Der hat gar nichts, der will nur nicht mitmachen.' Also dauerte es, bis ich tatsächlich zum Röntgen kam; und dann wurden gleich so viele Geschwüre festgestellt, daß ich sofort operiert werden mußte und danach gar nicht mehr kampffähig war. In einem Brief an einen Abitur-freund hatte ich das alles aufgeblättert, und diesen Brief fand ich 30 Jahre später in meinen Stasi-Unterlagen. Er war nie angekommen.

FHVD: *Wie war das mit der Armeezeit: Was war es genau, was Ihnen dort solchen Kummer bereitete, daß Sie krank wurden?*

MÜHE: Ja, was war es? Zum einen war es mir einfach völ-lig zuwider, mit so vielen Menschen so eng beisammen sein zu müssen. Und dann waren diese Leute eben von ausneh-mender Blödheit. Das war sehr anstrengend. In meiner Ab-iturzeit hatte ich einen wunderbaren Freundeskreis: Wir fingen an, Literatur zu entdecken, fingen an, Christa Wolf und Volker Braun und Heiner Müller zu lesen. Wir hatten ein paar Blaupausen von Wolf Biermann, die unter der Hand herumgingen. Und plötzlich war man gleich nach dem Abitur diesem Politikunterricht ausgesetzt, diesen dummen Menschen, denen man einfach nicht entkommen konnte und denen man anbefohlen war. Das hat mich wahnsinnig beleidigt. Und ich bin eben jemand, der nicht so sehr aus sich herausgeht; bei mir geht alles erst einmal eine ganze Weile lang nach innen.

FHVD: *Sie waren bei den Grenztruppen, nicht wahr?*

MÜHE: Ja. Das kam auch noch hinzu. Ich wurde nach Schöneweide eingezogen, wo es eine riesige Kaserne gab. Die hatten da Haubitzen, die – das habe ich dann später erfahren – mit ihrem Durchmesser von 16 oder 18 cm laut Potsdamer Abkommen für Berlin gar nicht zugelassen waren. Aber gut, in Ostberlin standen die Dinger eben rum, und wir mußten sie immer in den Sand einbuddeln und wieder ausbuddeln, ein Stück weiterfahren und wieder einbuddeln und so weiter. Man gewöhnte sich an diese absurde Aktivität. Aber nach einem halben Jahr wurde ich einfach an die Grenze versetzt. Dagegen konnte ich gar nichts machen. Fast ein halbes Jahr stand ich dann an der Grenze und absolvierte Grenzschichten, bis ich so krank wurde, daß ich nicht mehr dienstfähig war.

FHVD: *Sie standen da mit dem Auftrag, Grenzflüchtige zu erschießen?*

MÜHE: Ja, ja. Mit 60 Schuß scharfer Munition. Immer zu zweit, jeden Tag mit einem anderen Grenzsoldaten, jeden Tag an einem anderen Grenzposten.

CH: *Warum das?*

MÜHE: Damit man nicht zu enge Kontakte mit den anderen Soldaten knüpfen konnte. Das war schon perfekt durchdacht. Man saß da doch immerhin acht Stunden bei-

einander. Und wenn man das mehrere Tage hintereinander
getan hätte, wäre man sich vielleicht doch irgendwie persönlich nähergekommen. Das sollte verhindert werden.
Und auch daß man jeden Tag woanders war, hatte seinen
Grund: So konnte man den Grenzstreifen, den man da be-
wachen mußte, nicht endlos studieren und am Ende selber
noch auf Ideen kommen ...

CH: *Hat das Ihr Verhältnis zur DDR verändert? In dem
Moment, in dem man an der Grenze steht, muß man sich
doch auch mit dem System auseinandersetzen.*

MÜHE: Ja. Schon. Klar. Und natürlich war die Grenze eine
Art Höhepunkt in dieser Auseinandersetzung. Aber damit
ging es eigentlich schon in der Grundschule los, wo wir ja
lernten, mit zwei Sprachen zurechtzukommen. Das heißt,
es wurde zu Hause anders gesprochen als in der Schule.
Das funktionierte übergangslos und war gut einstudiert.
Wir sahen zu Hause West-Fernsehen (auch wenn das in
Sachsen oft einen lästigen Grauschimmer hatte), und in der
Schule durfte das niemand wissen. Oder mein Vater, der in
der Modebranche arbeitete und zweimal im Jahr nach Pa-
ris fahren durfte, brachte uns Jeans mit; die durfte man in
den 6oer Jahren noch nicht in der Schule tragen. Wir kamen also nach Hause und haben uns umgezogen. Man
fragte sich nicht jeden Tag: »Warum machen wir das eigentlich?« Das war eben so, ganz einfach.

FHVD: *Aber mit einem Schießbefehl an der Grenze zu stehen, das war für Sie nicht ganz einfach?*

MÜHE: Nein. Da mußte man sich irgendwie eine Haltung
zurechtlegen: Was mache ich, wenn ...

FHVD: *Und was war Ihre Haltung?*

MÜHE: Meine Haltung war, daß ich drüberschieße. Daß ich entlang der Grenze schieße und nicht auf eine Person.

FHVD: *Das wäre aber mit harten Konsequenzen verbunden gewesen.*

MÜHE: Von den Konsequenzen hatten wir gehört, und sie wurden auch umgesetzt: Das bedeutete Gefängnis und daß einem erst einmal jede Form von Bildung verschlossen blieb. Das heißt, ich hätte nicht studieren können.

FHVD: *Dann war vermutlich eher das am Magengeschwür schuld als die zu große Nähe zu den anderen?*

MÜHE: Da haben Sie recht. Wenn man acht Stunden täglich mit einem anderen Soldaten zusammen ist, von dem man nicht weiß, wie er denkt, und jederzeit die Möglichkeit besteht, daß irgend jemand losrennt, dem man dann das Leben nehmen soll, wenn man nicht will, daß die eigene Zukunft zerstört wird ... Es funktionierte ja auch so, daß die Offiziere uns immer wieder sagten, warum Menschen in Ostberlin loslaufen, um nach Westberlin zu kommen. Sie sagten: »Wenn jemand wirklich vorhat, das Land zu verlassen, dann sucht er sich nicht die Mauer in Ostberlin aus. Die ist so gut bewacht, daß keiner ernsthaft glauben kann, da durchzukommen. Das heißt also, das sind entweder Betrunkene oder verzweifelte Leute, die ihrem Leben eigentlich gerne ein Ende setzen möchten.« Es wurde uns suggeriert, daß wir unsere Existenz und unsere Zukunft doch nicht für Menschen opfern sollten, die das nicht wert wären – Asoziale, die privat gescheitert waren und glaubten, ihre Probleme hinter sich zu lassen, indem sie die Mauer überwanden. So wurden wir da indoktriniert.

FHVD: *Was war eigentlich damals Ihr Verhältnis zur DDR? War für Sie – davon abgesehen, daß Sie sich vorgenommen hatten, nicht zu schießen – Republikflucht etwas Falsches, Kriminelles?*

MÜHE: Das weiß ich nicht. Das kann ich nicht sagen. Republikflucht war für mich kein Thema, weil ich sehr von diesem Staat geprägt war. Ich hatte dieses ganze Bildungssystem durchlaufen, das alles sehr intensiv aufgenommen und war immer davon ausgegangen, daß unser System das bessere sei. »Es müssen nur die alten Leute da oben weg«, sagte ich mir, »und es müssen ein paar Weichen anders gestellt werden, aber der Kapitalismus liegt doch immer noch eine Systemstufe davor, die mit Ungerechtigkeit an jeder Stelle und mit der Dominanz des Geldes behaftet ist usw.« Die ganzen Terminologien, die man in der Schule jahrelang tagein, tagaus durchgenommen hatte. Es war ja auch alles irgendwie sehr einleuchtend. Sie dürfen nicht vergessen, Geschichte war für uns Wissenschaft: »Das ist die eine Stufe, das die nächste, dann kommt der Sozialismus und danach eben der Kommunismus. Wir sind auf dem Weg. Und der Kapitalismus liegt hinter uns. Seien wir mal froh! Natürlich haben wir Probleme, aber wir sind ja auch noch nicht am Ziel.« Das ist mir selbst '89 noch schwergefallen. Als zum Beispiel die ersten Fleischer wieder da waren, als auf den Schildern plötzlich nicht mehr Konsum oder HO [Handelsorganisation] stand, sondern der Name von Fleischermeister Schulze, da habe ich geschmunzelt und gedacht: »Siehste, jetzt gehen wir alle erst einmal wieder einen Schritt zurück.«

FHVD: *Hatten Sie denn eigentlich in Ihren 36 Jahren in der DDR je das Gefühl, in einer Diktatur zu leben?*

MÜHE: Ich habe das eigentlich nie so gedacht oder formuliert, obwohl es bei uns ja offizieller Sprachgebrauch war:

Es hieß ganz offiziell »Diktatur des Proletariates«. Im Kopf war das für mich jedoch nicht gleichbedeutend mit der Diktatur von Pinochet oder Pol Pot. Da waren noch Welten dazwischen. Aber jetzt verwende ich dieses Wort immer, weil es vereinfacht und weil ich mich damit auch selber zwinge, die Dinge wirklich beim Namen zu nennen und nicht mehr zu lavieren. Denn egal, wie groß die Unterschiede im Blutvergießen sind, man muß doch klar sagen, daß es auch in der DDR nicht um das Individuum und seine Rechte ging, sondern um die Organisation von Macht, um Verbote und um das Durchsetzen von Ideologien auf Kosten der Bevölkerung. Bei den Reaktionen auf »Das Leben der anderen« wird das sicher Thema sein. Wahrscheinlich wird den Film zunächst keiner unter dem Aspekt der Unterhaltung kritisieren. Es wird sicher ganz knallhart um die Frage gehen, was für ein DDR-Bild da suggeriert und aufgebaut wird. Wenn das schon so sein sollte, würde ich wenigstens hoffen und wünschen, daß die Spekulationen – und nichts anderes wird es ja in den meisten Fällen sein – auf differenzierte Art und Weise stattfinden.

FHVD: *Sie haben jetzt wiederholt gesagt, daß Sie kein Opfer von DDR-Willkür gewesen sind. Bei einer Drehpause haben Sie mir aber sehr eindrucksvoll erzählt, wie Sie – als es aus Sicht des Staates zu gut für Sie lief – einmal eine gefährliche Warnung bekamen, Sie könnten als Reservist wieder in die Volksarmee eingezogen werden. Würden Sie das noch einmal schildern?*

MÜHE: Ja, das sind so Sachen ... Sehen Sie, das war *ein* Tag in meinem Leben, und der war grauenvoll. Natürlich vergesse ich das nicht, aber ich möchte einfach nicht in den Verdacht kommen, ich würde versuchen, mich mit denen, die in dem System wirklich gelitten haben, auf eine Stufe zu stellen.

FHVD: *Das nehmen wir auf jeden Fall zu Protokoll.*

MÜHE: Was ich erlebt habe, ist Kiki-Kram im Vergleich mit den Erlebnissen von so vielen anderen. Ich bin wirklich auf der Sonnenseite mitmarschiert ... na, nicht mitmarschiert, vielleicht eher kritischer Begleiter gewesen, aber doch auf der Sonnenseite.

CH: *Gerade wenn Ihre Erlebnisse nicht so extrem waren und daher weniger repräsentativ, sind sie für uns hier interessant.*

MÜHE: Nun gut. 1986, als ich anfing, für »Das Spinnennetz« zu drehen, bekam ich einen Reisepaß. Und obwohl das eigentlich nur ein Arbeitsvisum für die Gelegenheiten war, bei denen ich in West-Berlin drehte, benutzte ich ihn immer: Ich ging im Westen ins Theater, ins Kino oder traf mich mit Freunden. Und die Stasi beobachtete das natürlich. Sie kannte meine Schwachstellen, und eines Tages wurden mir dann auch einmal die Instrumente gezeigt. Ich drehte wie gesagt damals für Bernhard Wicki, spielte am Deutschen Theater eine Hauptrolle nach der anderen, und mitten in diesen Höhenflug hinein bekam ich eine Vorladung zur Musterung, obwohl ich zehn, fünfzehn Jahre vorher, nach meiner Magenoperation, als nicht mehr dienstfähig aus der Armee entlassen worden war. Der ganze Frust von Armee und Grenzwache kam wieder hoch, als dieser Brief eintraf. Ich ging also zur Musterung und wurde zu einem Arzt geführt. Ich sagte ihm gleich: »Ich bin am Magen operiert worden und werde nicht wieder in eine Uniform steigen. Das mache ich nicht. Das kann ich nicht. Unter keinen Umständen.« Der Arzt hörte sich das an, untersuchte mich kurz und schrieb mich diensttauglich. Darauf ging ich zur Musterungskommission. Das waren vier oder fünf Offiziere, die mir an einer Tischreihe gegenübersaßen. Ich sagte ihnen, daß ich nicht wieder zur Armee gehen würde, daß ich das nicht könnte. Und sofort drohten sie mir: »Sie wissen, daß wir Sie gleich hierbehalten können? So arrogant Sie uns da auch gegenübersitzen?« Ich war derart aufgeregt und empört über den Vorgang und so voller Wut. Eine Stunde redeten sie auf mich ein und sagten mir immer wieder, daß ich sofort verhaftet werden könne und daß ich mir ja nicht einbilden solle, sie würden nicht mit mir fertigwerden, nur weil ich am Deutschen Theater spielen dürfe. Daß ich das alles sowieso nur durch den Staat geschafft hätte, dem Staat alles verdankte und ihm nun auch etwas zurückgeben müsse, indem ich als Reservist mein Waffenhandwerk erneuerte. Ich sagte immer nur: »Ich mache das nicht, ich mache das nicht, ich mache das nicht.« Natürlich dachte ich bei mir im Hinterkopf: »Das werden die nicht tun, das können die nicht tun.« Aber ich war so verzweifelt, daß ich meine ganze Kraft zusammennehmen mußte, um nicht loszuheulen. Ich dachte nur noch: »Nicht vor denen heulen! Tu denen nicht den Gefallen.« Danach bin ich in den Hof hinausgegangen und

gleich in eine Ecke gekrochen und habe geheult wie ein Schloßhund, habe Rotz und Wasser geheult. Dann war die Starre weg, aber was blieb, war die innere Empörung darüber, was Menschen mit Menschen machen können. Ich war so aufgewühlt und fühlte mich gleichzeitig so ohnmächtig.

FHVD: *Mit welchen Worten wurden Sie denn entlassen?*

MÜHE: Daß sie sich mit mir wieder in Verbindung setzen würden und ich damit zu rechnen hätte, daß ich in der folgenden Woche wieder eine Vorladung kriegen würde; und inzwischen würde man mit meinem Theater und meinen Vorgesetzten Kontakt aufnehmen. Und alles würde Konsequenzen haben.

CH: *Und hatte es Konsequenzen?*

MÜHE: Nein. Ich ging danach nach Hause und holte den Reisepaß, fuhr aber nicht zur Grenze, was ich sofort hätte machen können, sondern ans Deutsche Theater zu Dieter Mann, meinem Intendanten. Ich sagte ihm: »Dieter, die haben mich gerade über eine Stunde lang festgehalten, mich bedroht und wollen, daß ich zur Armee gehe und Reservedienst mache. Wenn der Terror nicht sofort aufhört, dann nehme ich den Ausweis und fahre in die Heinrich-Heine-Straße. Und dann bin ich weg. Dann seht ihr mich nicht wieder.« Dieter antwortete: »Beruhige dich erst mal. Laß mich ein paar Telefonate machen.« Zehn Minuten später kam er wieder aus seinem Büro und sagte: »Es ist in Ordnung, du wirst davon nichts mehr hören.« Das sind natürlich alles diktatorische Punkte, um auf Ihre Frage von vorhin zurückzukommen: Daß ein Intendant einfach sagen kann, »Laßt den Mann in Ruhe, der muß morgen spielen« – das ist alles Diktatur.

CH: *Waren Sie zu DDR-Zeiten je in der Versuchung, gegen das System aufzubegehren?*

MÜHE: Nur in sehr geringem Maße. Ich war kein Held. Aber 1976, als Biermann ausgebürgert wurde, habe ich einmal einen ganz kleinen Ansatz gemacht. Da war ich im ersten Studienjahr. Und weil gleich nach der Ausbürgerung eine große Sympathie- und Solidaritätswelle durch die Künstler – und angehenden Künstler – ging, versuchte ich, in meinem Studienjahr eine Solidaritätserklärung unterschreiben zu lassen. Ich formulierte also einen Satz: »Wir, die Studenten der Theaterhochschule Leipzig, protestieren gegen die Ausbürgerung von Wolf Biermann und bitten, diesen Schritt noch einmal zu überdenken.« Man dachte ja immer noch, wenn man ganz höflich bitten würde, sei es vielleicht doch irgendwie besser, dann käme das besser an. Ich ließ also meine Mitstudenten unterschreiben, und irgendeiner von ihnen nahm das Papier mit nach Hause, und am nächsten Tag rief mich mein Abteilungsleiter von der Sek-

tion Schauspiel zu sich: »Weeßte, Ulli, ich will dir mal 'ne
Geschichte erzählen. Das ist noch gar nicht so lange her, vor
acht Jahren, 1968. Da haben wir Studenten gemeint, daß
das mit dem Einmarsch der sozialistischen Bruderarmeen in
Prag nicht so in Ordnung war. Und weißte, was da gemacht
wurde? Das gesamte Studienjahr wurde aufgelöst, alle
Männer sind erst mal zur Armee gegangen und alle Frauen
in die Produktion. Und nu überleg mal.« Damit war meine
Dissidententätigkeit für dieses Jahr beendet.

Das Gespräch fand am 22. Oktober 2005 statt; die hier vorliegende
Fassung wurde überarbeitet und gekürzt.

Manfred Wilke
Wieslers Umkehr

Die Darstellung des MfS-Hauptmanns Wiesler wider-
spricht in diesem Film der gängigen Debatte über die Angehörigen des Ministeriums für Staatssicherheit der frühe-
ren DDR. Wir erleben, wie sich eine Dienstverweigerung,
eine Umkehr und das Ende einer Karriere vollziehen. Unwillkürlich fragt sich der Zuschauer: Gab es überhaupt
MfS-Offiziere, die sich irgendwann dem Regime verwei-
gerten oder gegen die Linie der SED stellten? Das Kürzel
Stasi bezeichnet den geheimen Repressionsapparat der
SED-Diktatur. In der verkürzten Debatte über die Stasi
wird gern vergessen, daß sie nur durch Menschen lebte
und funktionierte. Es gab nicht viele, aber es gab MfS-An-
gehörige, die opponierten oder ausstiegen. So wagten die
ersten beiden Minister für Staatssicherheit, Wilhelm Zais-
ser 1953 und sein Nachfolger Ernst Wollweber 1958, als
alte kommunistische Revolutionäre die Opposition gegen
den SED-Generalsekretär Walter Ulbricht. Beide verloren
ihre Funktion und Ulbricht setzte Erich Mielke als MfS-
Minister ein, der es bis 1989 blieb. In seiner Amtszeit wurden die Aussteiger Major Gerd Trebeljahr (1979) und
Hauptmann Werner Teske (1981) zum Tode verurteilt und
hingerichtet. 1979 trat Werner Stiller, der in der Bundesrepublik unter Wissenschaftlern ein Agentennetz geführt
hatte und als Doppelagent für den Bundesnachrichten-
dienst tätig war, in die Bundesrepublik über und enttarnte
eine Reihe von MfS-Spionen. Für »Verräter« kannte
Mielke keine Gnade; das sprach er offen und drohend aus:
»Wir sind nicht davor gefeit, daß wir mal einen Schuft unter uns haben. Wenn ich das schon jetzt wüßte, würde er
ab morgen nicht mehr leben. Kurzen Prozeß! Weil ich Hu-
manist bin, deshalb habe ich eine solche Auffassung«. Das
erklärte er 1981 vor seinen Generälen und fügte hinzu:

»Das ganze Geschwafel von wegen nicht hinrichten und nicht Todesurteile – alles Käse, Genossen. Hinrichten, wenn notwendig auch ohne Gerichtsurteil.«

Eine solche Abrechnung droht Wiesler zu Beginn des Films nicht. Er wird porträtiert als pflichtbewußter MfS-Offizier, der in der zentralen Untersuchungshaftanstalt des MfS, Berlin-Hohenschönhausen, einen Fall von »Republikflucht« aufzuklären hat. Der Häftling wird von ihm durch Schlafentzug genötigt, den Namen eines Mannes preiszugeben, der einem »Republikflüchtling« geholfen hat. Der »ungesetzliche Grenzübertritt« (§ 213) war nach dem Strafgesetzbuch der DDR eine »Straftat gegen die staatliche Ordnung« und wurde mit zwei Jahren Freiheitsentzug bestraft. Schon die Vorbereitung und der Versuch einer »Republikflucht« waren strafbar. Wiesler ermittelt in einem Verfahren, in dem es entweder um das »Verleiten zum Verlassen der DDR« oder um »Menschenhandel« (§ 132) geht.

Dieser Paragraph diente ebenfalls der Verhinderung einer Flucht aus der DDR. Nach der Befestigung der innerdeutschen Grenze und der Mauer in Berlin gab es Fluchthelfer aus dem Westen. Ihr Tun stellte die DDR unter Strafe, wer durch aktive Fluchthilfe dazu beitrug, eine Person »ins Ausland« zu verbringen, wurde mit einer Freiheitsstrafe bis zu acht Jahren bedroht.

Karl-Wilhelm Fricke urteilt in seiner Geschichte des MfS über die Rolle der Staatssicherheit in politischen Verfahren, zu denen die Republikflucht zählte: »In Wirklichkeit bestimmt die Staatssicherheit von Anfang an maßgeblich den Gang der Untersuchung und den weiteren Verlauf des Verfahrens.«

Politisch motivierte »Operative Vorgänge« kamen nicht selten auf Weisung der SED zustande, die im Film der Minister Hempf vertritt. Unter »Operativem Vorgang« (OV) verstand das MfS die höchste Stufe der konspirativen

Überwachung von verdächtigen Personen. In der Verwaltungssprache der Staatssicherheit von 1976 wurde der präventive Charakter des OV hervorgehoben: »Mit der zielstrebigen Entwicklung und Bearbeitung operativer Vorgänge ist vor allem vorbeugend ein Wirksamwerden feindlich-negativer Kräfte zu unterbinden, das Eintreten möglicher Schäden, Gefahren oder anderer schwerwiegender Folgen feindlich-negativer Handlungen zu verhindern und damit ein wesentlicher Beitrag zur kontinuierlichen Durchführung der Politik der Partei- und Staatsführung zu leisten.«

Ein solches Ziel liegt dem OV gegen den Schriftsteller Dreyman im Film zugrunde, indem Wiesler sein Damaskus-Erlebnis hat.

Zu Beginn des Films ist Wiesler ein wacher Kommunist, der unter dem zynischen Karrierismus vieler seiner MfS-Kameraden leidet, wie er uns im Film in der Gestalt seines Vorgesetzten Grubitz entgegentritt. Als Wiesler, der allein lebt, bedrückt vom Dienst zum Schutz des Sozialismus gegenüber Grubitz seufzt: »Sehnst du dich manchmal danach, daß er schon da wäre – der Kommunismus?«, verordnet dieser ihm als Gegenmittel die Dienste einer MfS-Hure. Kommunismus, das sollte die Aufhebung aller Ungleichheit zwischen den Menschen, die Abschaffung des Staates und das von den revolutionären Sozialisten mit Gewalt herbeigeführte irdische Paradies sein, nach dem sich Wiesner sehnt – verständlich angesichts des grauen Alltags des »realen Sozialismus« in der DDR. Diesem Ziel war die kommunistische Partei programmatisch verpflichtet, die in der DDR Sozialistische Einheitspartei Deutschlands hieß. Das Erreichen dieser visionären Endzeit der Geschichte wurde seit der Machtergreifung der russischen Kommunisten 1917 gefährdet durch die imperialistischen Feinde des Sozialismus, die das »Experiment« von außen bekämpften

und innerhalb der sozialistischen Staaten »feindlich-nega-
tive Kräfte« unterstützten, um den Aufbau des Sozialismus, das Zwischenstadium zum Kommunismus, zu ver-
eiteln. Eine der ersten Maßnahmen der Regierung von
Wladimir I. Lenin war am 20. Dezember 1917 die Grün-
dung der »Tscheka«. Der Name ist die Kurzform für »All-
russische Kommission für den Kampf gegen Konterrevolu-
tion und Sabotage«. Dieses Organ des »roten Terrors« im
russischen Bürgerkrieg wechselte in der Folgezeit oft seinen Namen, von 1954 bis zum Ende der Sowjetunion
1991 hieß es »Komitee für Staatssicherheit« (KGB). Die
Angehörigen des MfS nannten sich selbst stolz die Tschekisten der DDR. Diese Tradition drückte sich auch im Fah-
neneid aus. Wiesler hatte ebenfalls geschworen: »An der
Seite der Schutz- und Sicherheitsorgane der Sowjetunion
und der mit uns verbündeten sozialistischen Länder als
Angehöriger des Ministeriums für Staatssicherheit die
Feinde des Sozialismus auch unter Einsatz meines Lebens
zu bekämpfen und alle mir gestellten Aufgaben zur Ge-
währleistung der staatlichen Sicherheit zu erfüllen.«

Um diesen Kampf gegen die inneren und äußeren Feinde
psychisch zu bestehen, benötigten die Tschekisten als Mo-
tivation den Haß. Wieslers Verhör wird aufgezeichnet und
als Unterrichtsmaterial an der Juristischen Hochschule des
MfS in Potsdam-Eiche verwendet. Es ist eine Praxisstudie
für den Verhörernachwuchs, den er unterrichtet. Wieslers
Lektion endet im Lob des Hasses.

Er ermöglichte den MfS-Ermittlern, den Verdächtigen
in der Verhörsituation nur noch unter kriminologischen
Gesichtspunkten als Individuum zu betrachten. Auch
wenn es noch keine Verurteilung gab, allein die Verhaftung
bewies schon, daß man es mit einem Feind oder mit einem
feindlich-negativen »Element« zu tun hatte. Es war Partei-
auftrag des MfS, sich aktiv und bedrohlich in das Leben
der anderen einzumischen, um es grundlegend zu ändern,

wenn es nicht den Erwartungen der Partei entsprach. Die Erwartungen an ›ihre Menschen‹ in und außerhalb der Partei legte die SED-Führung in Form von Programmen, Plänen, Direktiven und klaren Grenzziehungen fest, wie sie zum Beispiel im politischen Strafrecht kodifiziert wurden. Diesem Handeln lag ein vom Marxismus-Leninismus formuliertes dichotomisches Weltbild zugrunde, das bestimmt wurde vom Klassenkampf, den die Kommunisten in der DDR und in der Weltpolitik führten. Im geteilten Deutschland war der weltpolitische Gegensatz zwischen West und Ost durch zwei Teilstaaten verfestigt. Dieses dichotomische Weltbild war begrifflich verbindlich strukturiert und erlaubte es der SED und ihren Tschekisten, menschliches Handeln innerhalb und außerhalb der DDR politisch zu kategorisieren. Die Reduktion traf besonders Kunst und Kultur, und Minister Hempf beruft sich im Film ungeniert auf Stalins Satz über die Schriftsteller als »Ingenieure der Seele«, die die Partei kontrollieren und nutzen muß. Die begriffliche Auslöschung selbstbestimmter, menschlicher Individualität ermöglicht es dem MfS, »die anderen«, die verhört, bespitzelt und bekämpft werden müssen, zu kategorisieren und sie somit in Objekte des Hasses zu verwandeln.

Der Schriftsteller Dreyman gilt dem MfS als linientreu. Aber der Minister Hempf mißtraut ihm und befiehlt, einen »Operativen Vorgang« einzuleiten. Es ist Wieslers Aufgabe, den Lauschangriff zu organisieren und die Überwachungsergebnisse persönlich an Grubitz zu übergeben. Nach dem Freitod eines mit Berufsverbot belegten Regisseurs entschließt sich Dreyman, die seit 1977 geheimgehaltene Statistik über den Suizid in der DDR im »SPIEGEL« zu veröffentlichen. Er verhandelt darüber mit dem »SPIEGEL«-Korrespondenten in der DDR in seiner Wohnung, da er glaubt, bei ihm gäbe es keine »Wanzen«. Der Korrespondent sagt ihm den Abdruck zu und versichert, die Anonymität des Autors zu wahren.

Erneut stellt sich die Frage: Fiktion oder nachgezeich-
nete Geschichte? Das Prozedere für eine Westveröffent-
lichung eines Schriftstellers der DDR war genau geregelt.
Solche Veröffentlichungen mußten über das Büro für Ur-
heberrecht abgewickelt werden und unterlagen damit der
staatlichen Kontrolle. Im Fall des Suizid-Artikels war eine
Genehmigung für eine Veröffentlichung im Westen von
vornherein ausgeschlossen. Die Statistik war geheim, ihre
Publizierung verstieß gegen eine Reihe von Paragraphen
des DDR-Strafgesetzbuches:

§ 97 Spionage:
   »Wer Nachrichten oder Gegenstände, die geheimzuhal-
   ten sind, zum Nachteil der Interessen der Deutschen Demokratischen Republik für eine fremde Macht, deren
   Einrichtungen oder Vertreter oder für einen Geheim-
   dienst oder für ausländische Organisationen sowie deren Helfer sammelt, an sie verrät, ihnen ausliefert oder
   in sonstiger Weise zugänglich macht, wird mit Freiheitsstrafe nicht unter 5 Jahren bestraft.«

§ 99 Landesverräterische Nachrichtenübermittlung:
   »Wer der Geheimhaltung nicht unterliegende Nachrichten zum Nachteil der Interessen der Deutschen Demokratischen Republik an die im Paragraph 97 genannten
   Stellen oder Personen übergibt, für diese sammelt oder
   ihnen zugänglich macht, wird mit Freiheitsstrafe von 2
   bis zu 12 Jahren bestraft.«

§ 219 Ungesetzliche Verbindungsaufnahme:
   »Wer zu Organisationen, Einrichtungen oder Personen,
   die sich eine gegen die staatliche Ordnung der Deutschen Demokratischen Republik gerichtete Tätigkeit
   zum Ziele setzen, in Kenntnis dieser Ziele oder Tätigkeit
   in Verbindung tritt, wird mit Freiheitsstrafe bis zu 5
   Jahren ...«

Dreyman weiß, was er riskiert. Als die Vermutung der Autorschaft auf ihn fällt, kommt es zur hektischen Suche des MfS nach Beweismitteln, um nach der Veröffentlichung ein Verfahren gegen ihn eröffnen zu können.

Im »SPIEGEL« waren Dissidenz, Opposition und Widerstand im sowjetischen Imperium stets ein Thema. Hier erschienen die Texte sowjetischer Dissidenten, polnischer und tschechischer Oppositioneller, und das galt auch für die aus der DDR, wie Robert Havemann und Jürgen Fuchs, dessen »Gedächtnisprotokolle« über seine Untersuchungshaft in Hohenschönhausen 1976/77 der »SPIEGEL« abdruckte. Im Januar 1978 veröffentlichte das Nachrichtenmagazin in zwei Folgen das Manifest von einem »Bund demokratischer Kommunisten Deutschlands« aus der DDR. Als Verfasser nannte die Redaktion »mittlere und höhere Funktionäre der SED«, die aus verständlichen Gründen auf ihre Anonymität Wert legten. Hauptverantwortlicher war, wie sich nach 1989 herausstellte, Prof. Dr. Hermann von Berg, Historiker an der Berliner Humboldt-Universität. In den sechziger Jahren war er im Presseamt des Ministerrats der DDR tätig. Dort betreute er westdeutsche Journalisten und war im Vorfeld der neuen Ostpolitik auch als Abgesandter von DDR-Ministerpräsident Stoph in der Bundesrepublik aktiv. Gleichzeitig berichtete er als Inoffizieller Mitarbeiter der Hauptverwaltung Aufklärung des MfS, wie die von Hubertus Knabe publizierte MfS-Akte belegt. Nur wenige Jahre später rechnet der Historiker mit den Zuständen in der DDR ab und vertraut das Manuskript zur Publikation dem Ost-Berliner »SPIEGEL«-Korrespondenten Ulrich Schwarz an. Das sogenannte »›SPIEGEL‹-Manifest«, das kurzzeitig eine heftige öffentliche Debatte provozierte, an der sich sowohl die Moskauer Prawda als auch das Neue Deutschland, das Zentralorgan der SED, beteiligten, beginnt mit einer Positionsbestimmung zur Sowjetunion: »Die politbürokratische Orthodo-

xie Moskaus ist objektiv reaktionär geworden. [...] Sie be-
treibt Großmacht-Politik ohne Rücksicht auf die inter-
nationale Arbeiterbewegung oder die sogenannten Bruder-
länder.« Der Stalinismus und der Nationalsozialismus
werden, was ihre terroristischen Qualitäten betrifft, als
»Zwillinge« bezeichnet. Das Manifest beschreibt die Wirklichkeit der DDR durch Aussagen, die in Suggestivfragen
formuliert werden. Eine lautet: »Warum ist die DDR Welt-
spitze bei Ehescheidungen, Selbstmordraten und Alkohol-
mißbrauch?« Den Hauptangriff richtet das Manifest gegen
die »Clique an der Spitze«, sie »schadet der sozialistischen
Idee in Deutschland und Europa mehr als alle sogenannte
Feind-Propaganda«. Die Kritik gipfelt in der Feststellung:
»Keine herrschende Klasse Deutschlands hat so schma-
rotzt und sich jemals so gegen das Volk gesichert wie jene
zwei Dutzend Familien, die unser Land als einen Selbstbedienungsladen handhaben. [...] schaut sie Euch genau an:
Hatte auch nur einer dieser selbsternannten Führer einmal
eine Idee aufzuweisen, ein Buch oder wenigstens einen Artikel geschrieben? Auf irgendeinem Fachgebiet oder wenigstens im Bereich der Politik? [...] dabei sind diese Polit-
bürokraten krankhaft eitel: Zählt die Titularien: wir, Erich
& Co. von Breshnjews Gnaden, König von Preußen etc.«
Die Publikation des Manifests beantwortete die »Clique an
der Spitze« mit der Schließung des »SPIEGEL«-Büros in
Ost-Berlin. Hermann von Berg wurde vom MfS bearbeitet,
verlor seine Professur und wurde schließlich in die Bundesrepublik abgeschoben.

Das »›SPIEGEL‹-Manifest« weist Parallelen auf zum
Vorgehen von Dreyman im Film. Es hat aber auch Bedeutung für Wieslers Umkehr im OV Dreyman. Sehr schnell
entdeckt dieser, daß der eigentliche Grund für den Lauschangriff auf den Schriftsteller, den der »Genosse Minister«
befahl, ein höchst privater ist. Die Liebesbeziehung zwischen der Schauspielerin Christa-Maria Sieland und dem

Schriftsteller stört den Minister, der mit der Schauspielerin ein Verhältnis hat, das der Film als »Unzucht mit Abhängigen« darstellt. Um den Rivalen aus dem Feld zu räumen, beauftragt Hempf Grubitz, diesen OV gegen den Schriftsteller zu eröffnen. »Selbstbedienungsladen«. Der beflissene MfS-Lakai Grubitz verdeutlicht Wiesler, daß sie beide »an dieser Liebesgeschichte viel zu gewinnen [...] oder zu verlieren« haben. Es ist die in dem »›SPIEGEL‹-Manifest« gegeißelte moralische Verkommenheit der »Clique an der Spitze« der SED, zu der Hempf zählt, die den OV Dreyman für den Kommunisten Wiesler zur moralischen Selbstprüfung werden läßt. Geht es wirklich um den Kampf gegen imperialistische »Diversion«, oder wird das MfS mißbraucht, um die Liebesaffäre eines Ministers zugunsten der Macht zu entscheiden? Angesichts dieser moralischen Entscheidungssituation hilft der Haß auf die Feinde des Sozialismus nicht weiter. Wer ist hier in dieser konkreten Situation der Feind des Sozialismus, die bedrängte Schauspielerin, der Schriftsteller, der bislang vermieden hat, Position zu beziehen in den innenpolitischen Auseinandersetzungen in der DDR, oder der Minister, der die Partei vertritt und der befiehlt, Belastungsmaterial gegen den Schriftsteller zu finden, damit die Schauspielerin ihn verlasse? »Die Sonate vom Guten Menschen«, ein Musikstück im Geiste des russischen Komponisten Dimitri Schostakowitsch, öffnet in Wiesler sein vom tschekistischen Korpsgeist des MfS verschlossenes Empfinden und führt ihn zur Umkehr. Erstmals praktiziert er sie sozusagen direkt vor der eigenen Haustür, als ihn ein spielender Junge fragt, ob es stimme, daß er bei der Stasi arbeite. Wiesler antwortet mit einer Gegenfrage, ob er überhaupt wisse, »Was das ist, die Stasi?«. Die Antwort des Jungen: »Das sind schlimme Männer, die andere einsperren [...] sagt mein Papi.« Reflexartig will Wiesler den Namen wissen, hält dann aber inne.

Für dieses Urteil über das MfS gab es ebenfalls einen Paragraphen im Strafgesetzbuch der DDR:

§ 220 Öffentliche Herabwürdigung:

»Wer in der Öffentlichkeit die staatliche Ordnung oder
staatliche Organe, Einrichtungen oder gesellschaftliche
Organisationen oder deren Tätigkeit oder Maßnahmen
herabwürdigt, wird mit Freiheitsstrafe bis zu 3 Jahren
[...] bestraft.«

Als Angehöriger der Wächter des Sozialismus, der in be-
sonderer Weise für die Einhaltung der »sozialistischen Ge-
setzlichkeit« zu sorgen hat, entzieht sich Wiesler in diesem
Moment innerlich seiner Dienstpflicht. Der Junge spricht
ihn dafür frei: »Du bist aber kein schlimmer Mann.«
Wollte Hempf, daß die Stasi bei Dreyman etwas findet,
als er sich absolut loyal verhielt, so wird nach Wieslers
innerem Bruch nun der Ernstfall Wirklichkeit: Dreyman
entschließt sich, Position zu beziehen, er wird gegen die
DDR-Zustände aktiv. Er schreibt einen Artikel über die
Suizidstatistik, ein Staatsgeheimnis der DDR, für den
»SPIEGEL«. Hauptmann Wieslers Bruch mit seinem
Dienstherrn wird deutlicher, er sorgt dafür, daß sein Vorgesetzter nichts von dieser strafbaren Handlung erfährt, er
fälscht die Überwachungsberichte. Obendrein versucht er
die Schauspielerin vor den Nachstellungen des Ministers
zu schützen und vereitelt auch dessen Vorhaben, gegen
Frau Sieland ein Auftrittsverbot durchzusetzen. Er nutzt
seine Möglichkeiten als MfS-Offizier, um seinen Dienst-
auftrag zu sabotieren, um einen verfolgten Menschen zu
schützen. Er muß die verhaftete Christa-Maria Sieland in
Hohenschönhausen verhören, um das Versteck in Dreymans Wohnung herauszubekommen, in dem die ›Beweis-
mittel‹ liegen, die Dreyman als Autor des »SPIEGEL«-Arti-
kels überführen. Wiesler nutzt nun seine Möglichkeiten. Er
verpflichtet die Schauspielerin in Hohenschönhausen als
inoffizielle Mitarbeiterin des MfS, um sie nach ihrem Ge-
ständnis freizulassen. Die Rettung endet tödlich.

Bevor noch sein Vorgesetzter Grubitz sein Durchsuchungskommando zusammengestellt hat, ist Wiesler bereits in Dreymans Wohnung, um das Belastungsmaterial zu beseitigen. Der Dichter wird erst nach Öffnung der MfS-Unterlagen aus seiner Akte, in der Wieslers gefälschte Observationsberichte liegen, erfahren, wer sein ›Schutzengel‹ war. Das ist ein unaufdringliches, aber überzeugendes Plädoyer des Films für die Notwendigkeit, die MfS-Akten nach der deutschen Wiedervereinigung 1991 für die Opfer der Repression zu öffnen.

Es war ein Stück nachträglicher Selbstbefreiung, zu wissen: Wer war wer? in dem Überwachungsstaat DDR, in dem von den 91 000 MfS-Mitarbeitern 1989 ca. 13 000 damit beschäftigt waren, ein Heer von ca. 170 000 Inoffiziellen Mitarbeitern (IMs) zu dirigieren, um den SED-Wahn von der flächendeckenden Überwachung einer ganzen Gesellschaft zu realisieren.

Der Film spielt in der Endphase der DDR. Erneut stellt sich die Frage: Fiktion oder erlebte Geschichte: Hatte Wieslers Umkehr und Verweigerung für das Schicksal der DDR überhaupt eine Bedeutung? Die MfS-Offiziere waren Mitglieder der SED. Sie besaßen als »Wächter des Sozialismus« einen besonderen Korpsgeist, sie fühlten sich als Elite. Selbst in ihren Reihen mehrten sich nach Gorbatschows Machtantritt 1985 in Moskau die Zweifel über die Zustände in der DDR, mit denen sie in ihrer Arbeit konfrontiert wurden, und vor allem über die lähmende Untätigkeit der SED-Führung, die die Augen vor der wirklichen Lage verschloß. Wiesler kehrt um, als er erkennt, daß die SED-Funktionäre auch nicht mehr an den Kommunismus glauben. Es geht ihnen um Privilegien, Lebensgenuß und eigensüchtige Macht. Seine Kraft reicht nicht zum Widerstand, er verweigert sich nur. Diese innere Kündigung war in der SED 1989 vielfach zu beobachten. Erst nach der Leipziger Montagsdemonstration vom 9.Oktober 1989,

die die SED-Spitze gewaltsam unterdrücken wollte, was
mißlang, kam es zum Führungswechsel von Erich Honecker
zu Egon Krenz. Aber die DDR-Kommunisten waren nur
noch Getriebene, die heimlichen Anhänger von Gorbatschows Reformpolitik kamen erst nach dem Ende der
SED-Herrschaft im Dezember 1989 an die Spitze der SED-
Fortsetzungspartei PDS. Um die Partei zu retten, gaben sie
das MfS preis und willigten 1990 in seine erzwungene Auf-
lösung ein. Es gab im Verlauf der friedlichen Revolution
eine Reihe von Verweigerungshandlungen von SED-Funk-
tionären gegen die Linie der Partei, die den Sieg der friedlichen Revolution beförderten: Als am 9. Oktober 1989
die SED-Führung in Leipzig durch ein Aufgebot an Sicher-
heitskräften die Montagsdemonstrationen gewaltsam beenden wollte, stellten sich drei Bezirkssekretäre der SED
gemeinsam mit Kurt Masur gegen dieses Vorhaben und
unterzeichneten einen Aufruf gegen Gewalt. Einen Tag zuvor empfing der Dresdener Oberbürgermeister, Wolfgang
Berghofer, eine Gruppe von Demonstranten, um mit ihnen
die Lage der Stadt zu diskutieren. Ähnlich verfuhr sein
Ost-Berliner Amtskollege, er beteiligte die Opposition an
dem städtischen Untersuchungsausschuß, der die Polizei-
einsätze gegen Demonstranten in Berlin am 7. und 8. Oktober 1989 untersuchen sollte. Dank solcher Handlungswei-
sen zerbrach das Machtmonopol der SED vor Ort. Schließlich ist die Öffnung der Grenzübergangsstellen in der
Nacht vom 9. zum 10. November 1989 in Berlin zu nennen. Das Kommando über die Grenzübergangsstellen
hatte ein Offizier der Grenztruppen, der für ihren militäri-
schen Schutz zuständig war, während die Kontrolle des
Reiseverkehrs der Paßkontrolleinheit dem MfS oblag. Am
Abend des 9. November 1989 teilten sich an der Grenz-
übergangsstelle Bornholmer Straße der Major Manfred
Sens von den Grenztruppen und der Oberstleutnant Ha-
rald Jäger vom MfS das Kommando. Beide entschieden um

23:30 Uhr, die Kontrollen einzustellen und den Menschen den Weg von Ost- nach Westberlin freizugeben. Die Mauer war offen.

Mit der Figur Wiesler rückt der Film eine gebrochene Biographie aus der DDR in den Mittelpunkt und zeigt in überzeugender Weise die Mechanismen der Repression im SED-Staat und wie in seiner Endzeit ein Kommunist erkennt, daß er nicht für einen Menschheitstraum Feinde jagt, sondern im Interesse einer zynischen Clique an der Spitze von Partei und Staat Menschen verfolgt, die ihr eigenes Leben selbstbestimmt gestalten wollen.

Manfred Wilke ist Leiter der Abteilung Lankwitz des Forschungsverbundes SED-Staat an der Freien Universität Berlin und war sachverständiges Mitglied der Enquete-Kommissionen »Aufarbeitung von Geschichte und Folgen der SED-Diktatur in Deutschland« (1992-1994) und »Überwindung der Folgen der SED-Diktatur im Prozeß der deutschen Einheit« (1995-1998) des Deutschen Bundestages. Bei den Arbeiten zu »Das Leben der anderen« war er der wissenschaftliche Berater.

Glossar der verwendeten Abkürzungen

HA – Hauptabteilung. Das MfS war in zahlreiche
Hauptabteilungen gegliedert, die meist mit römischen Ziffern
bezeichnet wurden.

HA XX/7 – Für die Überwachung der Kunst und Kultur
zuständige Abteilung.

IM – Inoffizieller Mitarbeiter.

Abteilung M – Abteilung für Postkontrolle. Sie unterstand der
HA II (Spionageabwehr).

MfS – Offizielle Abkürzung des Ministeriums für
Staatssicherheit. Das gebräuchlichere »Stasi« gilt als abwer-
tend.

NSW – Nichtsozialistisches Wirtschaftsgebiet.

OPK – Operative Personenkontrolle, die Vorstufe zum OV.
Ergab die OPK Verdachtsmomente, wurde ein OV ein-
geleitet.

OTS – Operativ-technischer Sektor. Eigenständige Abteilung,
zuständig für alle technischen Belange des MfS, von der
Entwicklung neuer Wanzen bis hin zur Fälschung auslän-
discher Behördenstempel.

OV – Operativer Vorgang. Permanente, konspirative (sprich:
geheime) Überwachung einer Person oder Personengruppe.

ZK – Zentralkomitee der SED (Sozialistische Einheitspartei
Deutschlands). Formal war der Parteitag das höchste Organ
in der Parteistruktur; er wählte das ZK, dies wiederum das
Politische Büro des ZK, das die Machtzentrale der DDR war.
Das Politbüro stützte sich auf den Apparat des ZK, dessen
Sekretäre und Abteilungsleiter sogar Staatsministern
gegenüber weisungsbefugt waren.

Auszeichnungen (Auswahl)

Deutscher Filmpreis 2006
Bester Spielfilm – Lola in Gold
Beste darstellerische Leistung – männliche Hauptrolle:
    Ulrich Mühe
Beste darstellerische Leistung – männliche Nebenrolle:
    Ulrich Tukur
Beste Regie: Florian Henckel von Donnersmarck
Bestes Drehbuch: Florian Henckel von Donnersmarck
Beste Kamera / Bildgestaltung: Hagen Bogdanski
Bestes Szenenbild: Silke Buhr

Europäischer Filmpreis 2006
Bester Film
Bester Darsteller: Ulrich Mühe
Bestes Drehbuch: Florian Henckel von Donnersmarck

Das Leben der anderen wurde für den Golden Globe 2007 und
für den Oscar 2007 in der Kategorie Bester nicht-englischsprachiger Film nominiert.

Quellennachweis

Alle Fotos im Cinemascope-Format (außer dem auf S. 147) sowie
die Fotos von Dreyman, Sieland, Wiesler, Grubitz, Jerska, Stigler
auf den Seiten 10 und 11 sind aus dem Originalnegativ des
Kinofilms und stammen vom Kameramann Hagen Bogdanski.
Alle anderen Bilder (einschließlich dem auf S. 147) sind vom
Standfotografen Hagen Keller.

›Mediengeschichte‹
im Suhrkamp Verlag
Eine Auswahl

Stefan Andriopoulos/Bernhard J. Dotzler (Hg.). 1929.
Beiträge zur Archäologie der Medien. stw 1579. 392 Seiten

Rudolf Arnheim
- Film als Kunst. Mit einem Nachwort von Karl Prümm
  und zeitgenössischen Rezensionen. stw 1553. 336 Seiten
- Rundfunk als Hörkunst. Mit einem Nachwort von Helmut H. Diederichs und zeitgenössischen Rezensionen.
  stw 1554. 237 Seiten
- Die Seele in der Silberschicht. Medientheoretische Texte.
  Photographie – Film – Rundfunk. Herausgegeben und
  mit einem Nachwort von Helmut H. Diederichs.
  stw 1654. 433 Seiten

Béla Balázs
- Der Geist des Films. Mit einem Nachwort von Hanno
  Loewy und zeitgenössischen Rezensionen.
  stw 1537. 237 Seiten
- Der sichtbare Mensch oder die Kultur des Films. Mit einem Nachwort von Helmut H. Diederichs und zeitgenössischen Rezensionen. stw 1536. 177 Seiten

Wolfgang Beilenhoff (Hg.). Poetika Kino: Theorie und
Praxis des Films im russischen Formalismus.
stw 1733. 250 Seiten

Walter Benjamin. Medienästhetische Schriften. Mit einem
Nachwort von Detlev Schöttker. stw 1601. 443 Seiten

Pierre Bourdieu. Über das Fernsehen. Übersetzt von Achim Russer. es 2054. 140 Seiten

Helmut H. Diederichs (Hg.). Geschichte der Filmtheorie. Kunsttheoretische Texte von Méliès bis Arnheim. stw 1652. 400 Seiten

Sergej Eisenstein. Jenseits der Einstellung. Schriften zur Filmtheorie. Herausgegeben von Helmut H. Diederichs und Felix Lenz. stw 1766. 450 Seiten

Peter Geimer (Hg.). Ordnungen der Sichtbarkeit. Fotografie in Wissenschaft, Technologie und Kunst. stw 1538. 444 Seiten

Peter Gendolla/Norbert M. Schmitz/Irmela Schneider/ Peter M. Spangenberg (Hg.). Formen interaktiver Medienkunst. stw 1544. 428 Seiten

Michael Giesecke
- Der Buchdruck in der frühen Neuzeit. Eine historische Fallstudie über die Durchsetzung neuer Informations- und Kommunikationstechnologien.
  944 Seiten. Gebunden und Broschur
- Sinnenwandel, Sprachwandel, Kulturwandel. Studien zur Vorgeschichte der Informationsgesellschaft.
  stw 997. 374 Seiten
- Von den Mythen der Buchkultur zu den Visionen der Informationsgesellschaft. Buch und CD-ROM.
  stw 1543. 458 Seiten

Christiane Heibach. Literatur im elektronischen Raum. Buch und CD-ROM. stw 1605. 293 Seiten

Siegfried Kracauer
- Werke. Band 3. Theorie des Films. Die Errettung der äußeren Wirklichkeit. Herausgegeben von Inka Mülder-Bach unter Mitarbeit von Sabine Biebl.
  Gebunden und Broschur. 599 Seiten
- Werke. Band 6. Kleine Schriften zum Film. Herausgegeben von Inka Mülder-Bach unter Mitarbeit von Mirjam Wenzel und Sabine Biebl. In drei Teilbänden.
  Gebunden und Broschur. 1676 Seiten
- Theorie des Films. Die Errettung der äußeren Wirklichkeit. Vom Verfasser revidierte Übersetzung von Friedrich Walter und Ruth Zellschau. Mit zahlreichen Abbildungen.
  stw 546. 454 Seiten
- Von Caligari zu Hitler. Eine psychologische Geschichte des deutschen Films. Übersetzt von Ruth Baumgarten und Karsten Witte. stw 479. 632 Seiten

Albert Kümmel/Petra Löffler (Hg.). Medientheorie 1888-1933. Texte und Kommentare. stw 1604. 568 Seiten

Karl Ludwig Pfeiffer. Das Mediale und das Imaginäre. Dimensionen kulturanthropologischer Medientheorie. 618 Seiten. Gebunden

Stefan Rieger
- Die Ästhetik des Menschen. Über das Technische in Leben und Kunst. Mit zahlreichen Abbildungen.
  stw 1600. 512 Seiten
- Die Individualität der Medien. Eine Geschichte der Wissenschaften vom Menschen. stw 1520. 519 Seiten
- Kybernetische Anthropologie. Eine Geschichte der Virtualität. Mit zahlreichen Abbildungen. stw 1680. 556 Seiten

Yvonne Spielmann. Video. Das reflexive Medium. stw 1739. 480 Seiten